禁 大人はアカン！

大阪弁こども万葉集

中村 博

JDC

はじめに

はじめにのはじめに

・本のタイトルは、ちょっとふざけているけれども、中味はまじめです。
・ご安心ください。
・どうしても、こどもたちに、万葉集が面白いことを知ってもらいたくて、この本を書きました。
・むつかしい所も少しありますが、そこは飛ばしても良いので、パラパラとページをめくって下さい。
・詠《よ》まれた和歌《うた》で、見たいと思うのがあるなら、「もくじ」の〈和歌の検索〉を見て下さい。
・「和歌《うた》」としたのは、「歌」というと歌手の唄う歌と思ってしまうからです。
・また「詠《よ》む」としたのは、「読む」とすれば、本を読むというのを考えてしまうからです。
・では、次に進みましょう。

どうして大人は㊗なのか

・さあ、どうしてでしょう。
・一つ目は、やさしく書いてあるからです。
・「万葉集」は、むつかしいものと決めている大人は、
・「やさしく書いてあるのは、不十分で、どうせ詰まらない内容だ」と言い、読ませようとしないからです。
・だから、大人に見せないでください。
・そして、二つ目は、万葉集には恋の和歌《うた》が多いからです。
・「恋の和歌《うた》などは、こどもに分かるはずはない。
・そんなのを読ませれば、ませた子になる」と、きっと大人は言うでしょう。
・この本には、恋の和歌《うた》だけでなく、男と女の深い関係の和歌《うた》も出てきます。
・だから、絶対に大人に見せないでください。
・さあ、それでは、次にどうぞ。
※こども向けでは物足らないと思う人は、私の本の
『万葉歌みじかものがたり』
その改訂版で「令和」が載《の》っている
『令和天翔《あまが》け万葉歌みじかものがたり』
をお読みください。

どうして大阪弁なのか

・と、思われる人が多いでしょう
・それでも「大阪弁」なのです
・みなさんが、なにかを考える時は、どうしますか。
・まず、こころで考えますね。
・そして、言葉に出して言いますね。
・ひとにそれを伝える時には、文字でかきますよね。
・そうなんです、最初に心で考えます。
・その時の言葉は、何でしょう。
・きっと、体に染みついたことば、いつも使っている言葉です。
・そう、心で思うのは、「お国ことば」です。
・言う時は、ちょっと改まって言いますが、ニュアンスは、「お国ことば」のままです。

・書くときになって、やっと標準語を使うことになります。
・その標準語も、明治中期に、東京の言葉が選ばれた時からのものです。
・それまでは、それぞれの地方で、それぞれの「お国ことば」が使われていました。
・昔の人は、どうだったのでしょう。
・ちゃんとした文字は、ありませんでした。
・紙も、普通の人は滅多に使えませんでした。
・そう、思ったことは、言うしかなかったのです。
・万葉の時代もそうです。
・だから、和歌《うた》も声を出して詠《うた》ったのです。
・さて、万葉の時代には、人々は何語で詠《うた》ったのでしょう。

・標準語でしょうか。
・そんはずはないですよね。
・お公家《くげ》さんの「京ことば」でしょうか。
・いいえ、万葉の時代は、大和《やまと》（奈良県）に都《みやこ》がありました。
・では、「奈良弁」でしょうか。
・いえいえ、大和《やまと》の前に都《みやこ》があったのは、難波《なにわ》（大阪府）です。
・でも、日本の天皇の最初の人は、神武《じんむ》天皇と言いますが、その人は九州から来ました。
・では、主な言葉は、「九州弁」でしょうか。
・いやいや、それも違います。
・神武《じんむ》天皇が、九州から攻めて来た時、先に住んでいて、大阪湾に入《い》れないように戦った人がいます。
・それはナガスネヒコですが、この人が仕えていた主人はニギハヤヒと言い、ニギハヤヒは天の岩船に乗って、河内の山に降りたと言います。
・だから、もともとは、「大阪」なのです。
・日本の始まりは。
・その言葉が中心であったことは、間違いありません。
・と、いうことで、万葉の時代の和歌《うた》を訳すのに、「大阪弁」こそ、最も適した言葉なのです。
・わかりましたか。
・本当のところは、私が大阪生まれで、心で考えて、一番しっくりするのが大阪弁だからかも知れません。
・いや、ほんと。
・でも、ご安心ください。
・大阪弁は現代訳だけで、あとは標準語です。
・安心して、どうぞ。

どうして五七五七七なのか

・この本に出て来る現代訳は、五七五七七
です。
・こんなのは、他の本にはありません。
・では、どうしてなのでしょう。
・「万葉集」に出て来る和歌《うた》は、五七五七七
です。
・他の本は、言葉の意味を説明し、和歌《うた》の
中味を解説をしたものがほとんどです。
・和歌《うた》の内容はそれで分かりますが、それ
では詠《うた》われた心が伝わってきません。
・和歌《うた》は、こころを言い表したものです。
・そのこころが伝わらなければ、感動は生
まれません。
・試しに、この本の現代訳をどれでも良い
から読んでみてください。

・それも、声を出して。
・そうら、「論より証拠」でしょう。
・感動が伝わるのは、五七五七七だからです。
・「五七」や「七五」は、日本人の心、こころのリズムなのです。
・「歌謡曲」の歌詞に「五七」や「七五」が多いのは、その所為《せい》です。
・だからこそ、万葉時代の人も、五七五七七で、和歌《うた》を詠《うた》ったのです。
・現代訳も、五七五七七で無くて、どうするのですか。
・これこそ、究極の現代訳なのです。
・さあ、次に進みましょう。

※なお、この本に載せた、写真のほとんどは、犬養孝先生の名著『万葉の旅』に載せられてある「万葉故地」の場所309ヶ所を訪ね歩いて私が写真に撮ったものと、同じく犬養先生が筆を執られた文字を刻んだ歌碑、全国で140基余りを探り歩き写真に収めたものを使っています。

もくじと和歌《うた》の検索

もくじ

第三章　第二期の和歌《うた》　

和歌《うた》の検索

来《こ》んと言うも　来《こ》ん時あるを　（大伴坂上郎女《おおとものさかのうえのいらつめ》）　248

桜田へ　鶴《たづ》鳴き渡る　（高市黒人《たけちのくろひと》）　175

楽浪《さざなみ》の　志賀の大わだ　（柿本人麻呂《かきのもとのひとまろ》）　108

笹《ささ》の葉は　み山もさやに　（柿本人麻呂《かきのもとのひとまろ》）　166

島の宮　勾《まがり》の池の　（柿本人麻呂《かきのもとのひとまろ》）　106

験《しるし》無き　物を思わずは　（大伴旅人《おおとものたびと》）　186

銀《しろかね》も　金《くがね》も玉も　（山上憶良《やまのうえのおくら》）　210

高円《たかまど》の　野辺の秋萩　（笠金村《かさのかなむら》歌集）　135

田児の浦ゆ　うち出《い》でて見れば　（山部赤人《やまべのあかひと》）　242

立ち変り　古き都《みやこ》と　（田辺福麻呂《たなべのさきまろ》歌集）　265

旅にして　物恋しきに　（高市黒人《たけちのくろひと》）　174

旅人《たびびと》の　宿りせん野に　（作者不明）　218

玉藻刈る　敏馬《みぬめ》を過ぎて　（柿本人麻呂《かきのもとのひとまろ》）　156

塵泥《ちりひじ》の　数《かず》にもあらぬ　（中臣宅守《なかとみのやかもり》）　254

灯火《ともしび》の　明石大門《おおと》に　（柿本人麻呂《かきのもとのひとまろ》）　158

鶏《とり》が鳴く　東《あずま》の国に　（高橋蟲麻呂《たかはしのむしまろ》歌集）　222

なかなかに　人と在《あ》らずは　（大伴旅人《おおとものたびと》）　188

馴《な》親《つ》きにし　平城《なら》の都《みやこ》の　（田辺福麻呂《たなべのさきまろ》歌集）　265

なまよみの　甲斐《かい》の国　（高橋蟲麻呂《たかはしのむしまろ》歌集）　228

熟田津《にきたつ》に　船乗《ふなの》りせんと　（額田王《ぬかたのおおきみ》）　48

ぬばたまの　夜来《さ》り来《く》れば　（柿本人麻呂《かきのもとのひとまろ》歌集）　144

ぬばたまの　夜の更けぬれば　（山部赤人《やまべのあかひと》）　241

梅花《ばいか》の宴《えん》　序　（大伴旅人《おおとものたびと》）　190

萩の花　尾花　葛花　（山上憶良《やまのうえのおくら》）　213

春の苑《その》　紅《くれないにお》映う　（大伴家持《おおとものやかもち》）　278

春来《さ》れば　まず咲くやどの　（山上憶良《やまのうえのおくら》）　196

春過ぎて　夏来《きた》るらし　（持統天皇《じとうてんのう》）　96

春の野に　霞棚引き　（大伴家持《おおとものやかもち》）　282

春の野に　すみれ摘《つ》みにと　（山部赤人《やまべのあかひと》）　234

人言《ひとごと》を　繁《しげ》み言痛《こちた》み　（但馬皇女《たじまのひめみこ》）　139

東《ひんがし》の　野に炎《かぎろい》の　（柿本人麻呂《かきのもとのひとまろ》）　118

藤原《ふじわら》の　大宮仕《つか》へ　（作者不明）　124

衾道《ふすまじ》を　引手の山に　（柿本人麻呂《かきのもとのひとまろ》）　146

二人行けど　行き過ぎ難《かた》き　（大伯皇女《おおくのひめみこ》）　88

冬こもり　春さり来《く》れば　（額田王《ぬかたのおおきみ》）　58
振《ふ》り放《さ》けて　三日月見れば　（大伴家持《おおとものやかもち》）　270
降る雪は　多《あわ》には降りそ　（穂積皇子《ほづみのみこ》）　140
み熊野の　浦の浜木綿《はまゆう》　（柿本人麻呂《かきのもとのひとまろ》）　148
皆人《みなひと》を　寝《ね》よとの鐘は　（笠郎女《かさのいらつめ》）　272
み吉野の　象山《きさやま》の際《ま》の　（山部赤人《やまべのあかひと》）　240
三輪山を　然《しか》も隠すか　（額田王《ぬかたのおおきみ》）　50
昔見し　象《きさ》の小川を　（大伴旅人《おおとものたびと》）　180
紫草《むらさき》の　映《にお》える妹《いも》を　（大海人皇子《おおあまのみこ》）　56
物部《もののふ》の　八十娘子《やそおとめ》らが　（大伴家持《おおとものやかもち》）　280
百伝《ももづた》う　磐余《いわれ》の池に　（大津皇子《おおつのみこ》）　90
やすみしし　我が大君　（柿本人麻呂《かきのもとのひとまろ》）　112
やすみしし　我が大君の　（山部赤人《やまべのあかひと》）　236
やすみしし　我が大君の　（田辺福麻呂《たなべのさきまろ》歌集）　260
やすみしし　我ご大君　（作者不明）　120
痩《や》す痩《や》すも　生《い》けらば在《あ》らんを　（大伴家持《おおとものやかもち》）　277
山川も　依《よ》りて仕《つか》うる　（柿本人麻呂《かきのもとのひとまろ》）　115

大和《やまと》には　群山《むらやま》あれど　（舒明天皇《じょめいてんのう》）　36
世の中は　空《むな》しきものと　（大伴旅人《おおとものたびと》）　189
我が大君　神の命《みこと》の　（田辺福麻呂《たなべのさきまろ》歌集）　266
我が岡の　お神に言いて　（藤原夫人《ふじわらのぶにん》）　80
我が里に　大雪降れり　（天武天皇《てんむてんのう》）　78
我が背子《せこ》が　帰《き》り来まさん　（狭野弟上娘子《さののおとかみのおとめ》）　259
我が背子《せこ》を　大和へ遣《や》ると　（大伯皇女《おおくのひめみこ》）　86
わが園に　梅の花散る　（大伴旅人《おおとものたびと》）　200
若の浦に　潮満ち来れば　（山部赤人《やまべのあかひと》）　238
我がやどの　い笹群竹《ささむらたけ》　（大伴家持《おおとものやかもち》）　284
我れのみぞ　君には恋うる　（大伴坂上郎女《おおとものさかのうえのいらつめ》）　247
我れはもや　安見児《やすみこ》得たり　（藤原鎌足《ふじわらのかまたり》）　60
我《わ》を待つと　君が濡れけん　（石川郎女《いしかわのいらつめ》）　84

第一章　万葉集とは

【万葉集について】

・今から約千三百年前に作られた日本で一番古い歌集
・確かな歌は、西暦630年頃から760年頃までの約百三十年間の和歌《うた》が収められている
・和歌《うた》の数は、おおよそ四千五百首
・万葉集の意味は「万の言葉（和歌《うた》）を集めたもの」と考えるのが有力と言われている
・元の形が出来上がったのは、奈良時代と考えられ、大伴家持《おおとものやかもち》がその取り纏めに大きく関係していたとされている
・作者は、天皇・皇后をはじめとして、皇族・貴族・宮廷に勤める人から農民・遊女などのごく普通の人までもある

【歌の形】

・長歌《ちょうか》：五七・五七を繰り返し、終わりを五七七で締め括《くく》るもので、二六五首ある
・短歌《たんか》：五七五七七のもので、四二〇七首あり、長歌の後に添えられるものを「反歌《はんか》」という
・旋頭歌《せどうか》：五七七五七七のもので六二首ある

【歌の種類】

・雑歌《ぞうか》：雑多な和歌《うた》という意味ではなく、宮廷などの公《おおやけ》の場での和歌《うた》が多く、約一五六〇首ある
・相聞歌《そうもんか》：親族間・友人間のものもあるが、多くが男女間の恋の和歌《うた》であり、約一六

七〇首ある
・挽歌《ばんか》：死を悲しむ和歌《うた》であり、約二六七首ほどある
・東歌《あずまうた》：東国地方（遠江《とおとうみ》〈静岡県〉・信濃《しなの》〈長野県〉から東）の民謡を基にしたと考えられるもので、約二三〇首ある
・防人歌《さきもりうた》：防人《さきもり》本人・その妻・その親などが詠《うた》ったもので、防人《さきもり》とは「崎守」の意味で、国境を守る兵士のことであり、九八首ある

【言葉を飾る用語】

・枕詞《まくらことば》：次に来る言葉を褒《ほ》めたり、和歌《うた》の調子を整えたりするのに使われるもの
・序詞《じょことば》：ある言葉を言い出すためのもので、和歌《うた》の趣きやその場の様子を引き出すのに使われる
・掛詞《かけことば》：一つの言葉で同じ発音の二つの言葉の意味を持たせて、内容に奥行きを持たせるために使われる

第二章　伝承期・第二期の和歌《うた》

【この時代の主な出来事】

■伝承期（言い伝え歌の時代）

・大阪の難波《なにわ》で仁徳《にんとく》天皇が国を治める

・奈良の初瀬《はつせ》で雄略《ゆうりゃく》天皇が国を治める

■第一期

・都《みやこ》が飛鳥《あすか》の地に造られる

・大化《たいか》の改新《かいしん》で天皇中心の時代が始まる

・有間皇子《ありまのみこ》事件が起こる

・朝鮮半島の争いに巻き込まれ大敗する

・近江《おうみ》（滋賀県）の大津に都《みやこ》を移す

・壬申《じんしん》の乱で勝った天武《てんむ》天皇が飛鳥《あすか》に都を戻す

【和歌《うた》を詠《うた》った主な人】

磐姫皇后《いわのひめのおおきさき》、雄略天皇《ゆうりゃくてんのう》

天智《てんち》天皇、額田王《ぬかたのおおきみ》、鏡王女《かがみのおおきみ》

有間皇子《ありまのみこ》

区分	都	天皇	西暦	年号	年	月	事柄
伝承期	難波	仁徳	四世紀	仁徳朝			磐姫皇后の帝を思う歌
	初瀬	雄略	五世紀	雄略朝			万葉集巻頭歌
第一期	飛鳥	舒明	629年	（舒明）	1年		舒明即位
			641年	（舒明）	13年	10月	舒明崩御（49）
	飛鳥	皇極	642年	（皇極）	1年	1月	皇極即位
			645年	（皇極）	4年	6月	乙巳の変、蘇我入鹿死す
						6月	皇極譲位　孝徳即位
	飛鳥	孝徳	646年	大化	2年	1月	大化改新詔発布
	難波		651年	白雉	2年	12月	難波長柄豊崎宮に遷る
	飛鳥		653年	白雉	4年		飛鳥河辺行宮に遷る　孝徳置き去り
			654年	白雉	5年	10月	孝徳崩御（58）
	飛鳥	斉明	655年	（斉明）	1年	1月	斉明重祚
			658年	（斉明）	4年	11月	有馬皇子　処刑
			661年	（斉明）	7年	7月	斉明崩御（55）
	飛鳥	天智	662年	（天智）	1年		天智称制
			663年	（天智）	2年	8月	白村江の戦い
	大津		667年	（天智）	6年	3月	近江遷都
			668年	（天智）	7年	1月	天智即位（43）
						5月	蒲生野で狩り
			671年	（天智）	10年	1月	大友皇子太政大臣
						10月	大海人吉野へ
						12月	天智崩御（46）
		弘文	672年	（天武）	1年	6月	壬申の乱

和射野
美濃
蒲生野
大津京◎
近江
山城
摂津
河内
高安山
仁徳天皇陵
和泉
大和
藤代坂
紀伊
岩代
紀の湯

熟田津
伊予
土佐

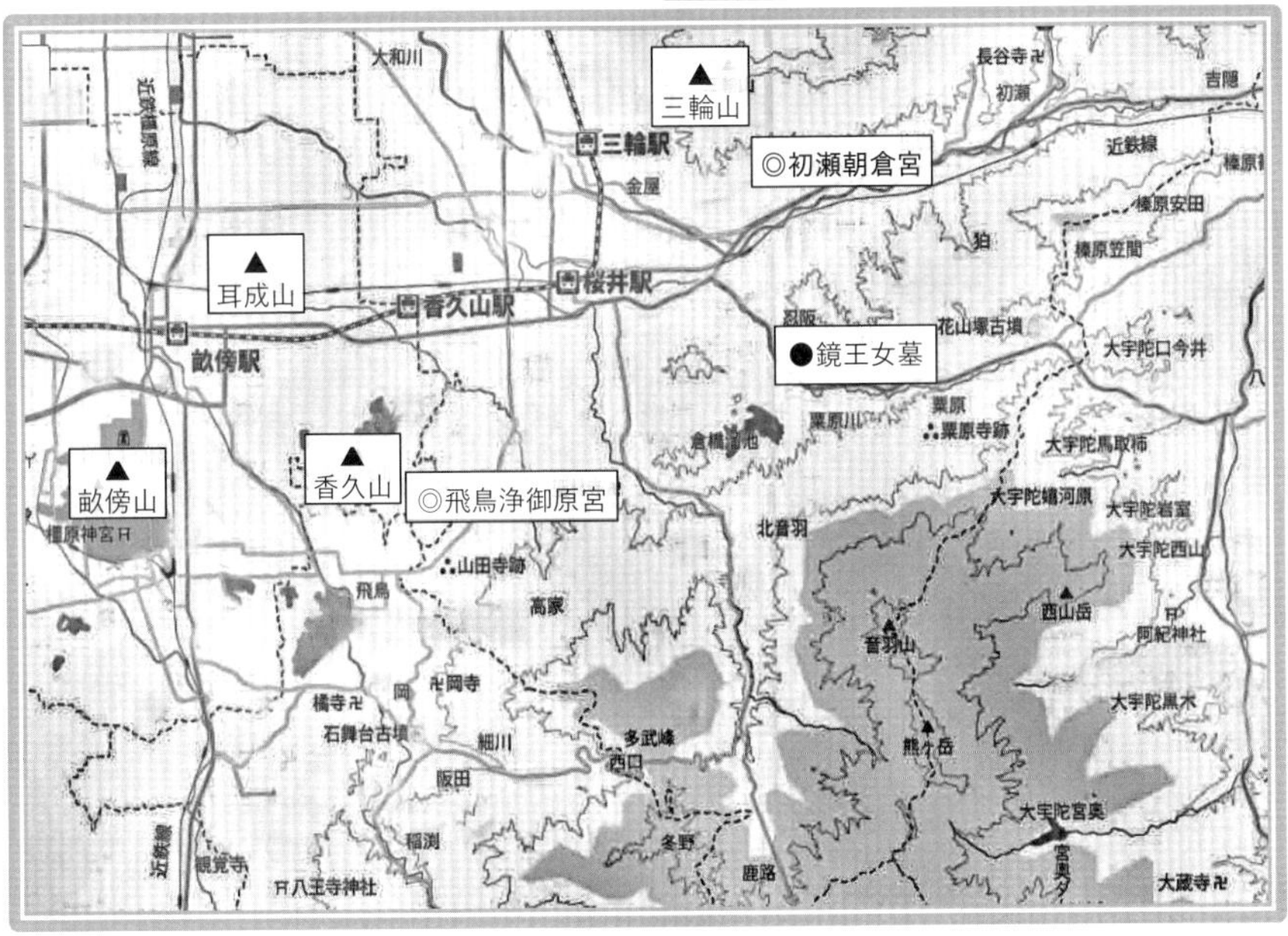
三輪山
◎初瀬朝倉宮
耳成山
●鏡王女墓
畝傍山
香久山
◎飛鳥浄御原宮
三輪駅
香久山駅
桜井駅
畝傍駅
大和川
長谷寺
初瀬
吉隠
近鉄線
金屋
花山塚古墳
大宇陀口今井
栗原寺跡
山田寺跡
飛鳥
高家
橘寺
石舞台古墳
岡寺
細川
多武峰
西口
阪田
稲渕
冬野
鹿路
音羽山
熊ヶ岳
西山岳
阿紀神社
大宇陀宮奥
大蔵寺
八王子神社
橿原神宮

あんたはん　行って仕舞《しも》ぅて　長《なご》ぅなる
うちから行こか　それとも待《ま》とか

君が行き（あなた・仁徳天皇）　日《け》長くなりぬ
山訪《たず》ね
迎《むか》えか行かん（行こうかな）　待《ま》ちにか待たん（待とうかな）

―磐姫皇后《いわのひめのおおきさき》―（巻二・八五）

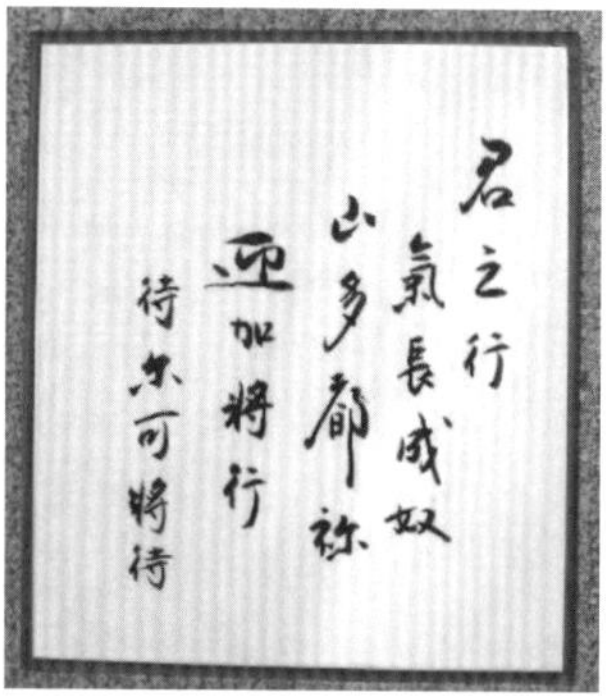

【堺市伝仁徳天皇陵
西遊歩道の副碑】

・君＝あなた（女のひとが男のひとに呼びかける時に使う）

いっそ死の　こんな恋焦《こが》れて　苦しなら
奥山行って　岩枕して

斯《か》くばかり　恋《こ》いつつ在《あ》らずは
高山の
岩根《いわね》し枕《ま》きて　死なましものを（死んだ方がましだ）
—磐姫皇后《いわのひめのおおきさき》—（巻二・八六）

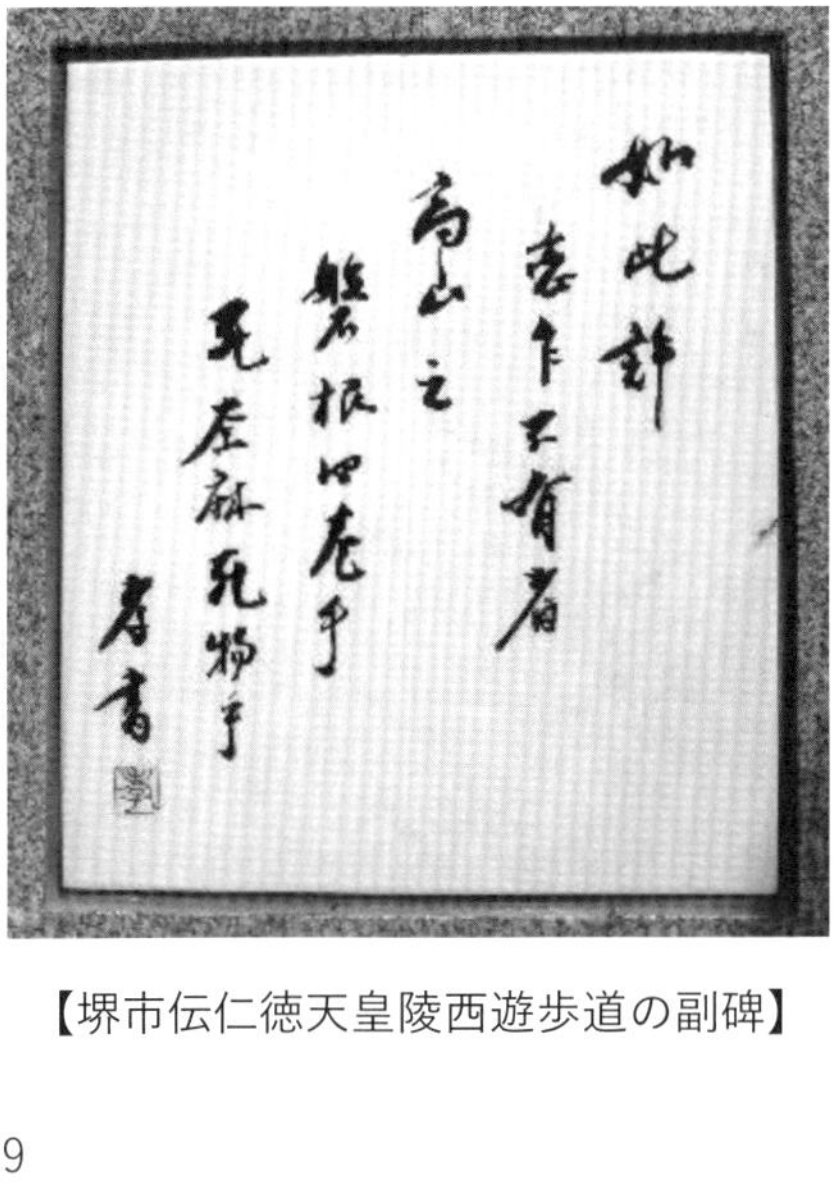

【堺市伝仁徳天皇陵西遊歩道の副碑】

死ぬもんか
生き続けたる　あんた待ち
うちの黒髪　白《しろ》なるまで

在《あ》りつつも（生き続けてでも）　君をば待《ま》たん（待とう）
打ち靡《なび》く
わが黒髪に　霜《しも》の置《お》くまでに
―磐姫皇后《いわのひめのおおきさき》―（巻二・八七）

【「在りつつも」歌碑・堺市伝仁徳天皇陵西遊歩道】

【和歌《うた》が詠《よ》まれた背景《はいけい》】

・（えぇい、今度という今度は、許せない）

・仁徳《にんとく》天皇は、女の人が好きだった

・皇后が追い返した吉備《きび》の黒姫を恋しく思い、吉備《きび》の国まで追いかけたほどである

・ある時、皇后が、神に供《そな》える柏《かしわ》の葉を採《と》りに熊野へ出かけた隙《すき》をみて、天皇は八田皇女《やたのひめみこ》を宮殿に入れた

・これを知った皇后は、採《と》って来た柏《かしわ》の葉を海に捨て、宮殿には帰らないで、実家近くに籠《こも》ってしまう

・天皇の迎えが来ても聞き入れず、そのままそこに居続け、とうとう帰らなかった

【磐姫皇后《いわのひめのおおきさき》】（？～？）

・仁徳《にんとく》天皇（第16代）の皇后

・古事記に「やきもち焼きの酷《ひど》いひと」と書かれてある

・本当は、天皇のことが好きで好きでたまらず、そのために意固地《いこじ》になったのかも？

※この和歌《うた》は、皇后が詠《うた》ったものでなく、民謡的に歌われたものを集めて皇后の和歌《うた》としたらしい

穂の上に　漂う霧や
この恋焦《こが》れ
何時《いつ》になったら　消えるんやろか

立ち続け
うち待ってるで　寒うても
この黒髪に　霜降《お》りたかて

秋の田の
穂の上《え》に霧《き》らう　朝霞《がすみ》
何処辺《いずえ》の方《かた》に　わが恋《こい》止《や》まん
―磐姫皇后《いわのひめのおおきさき》―（巻二・八八）

居明かして　君をば待《ま》たん
ぬばたまの
我が黒髪に　霜《しも》は降るとも
―磐姫皇后《いわのひめのおおきさき》―（巻二・八九）

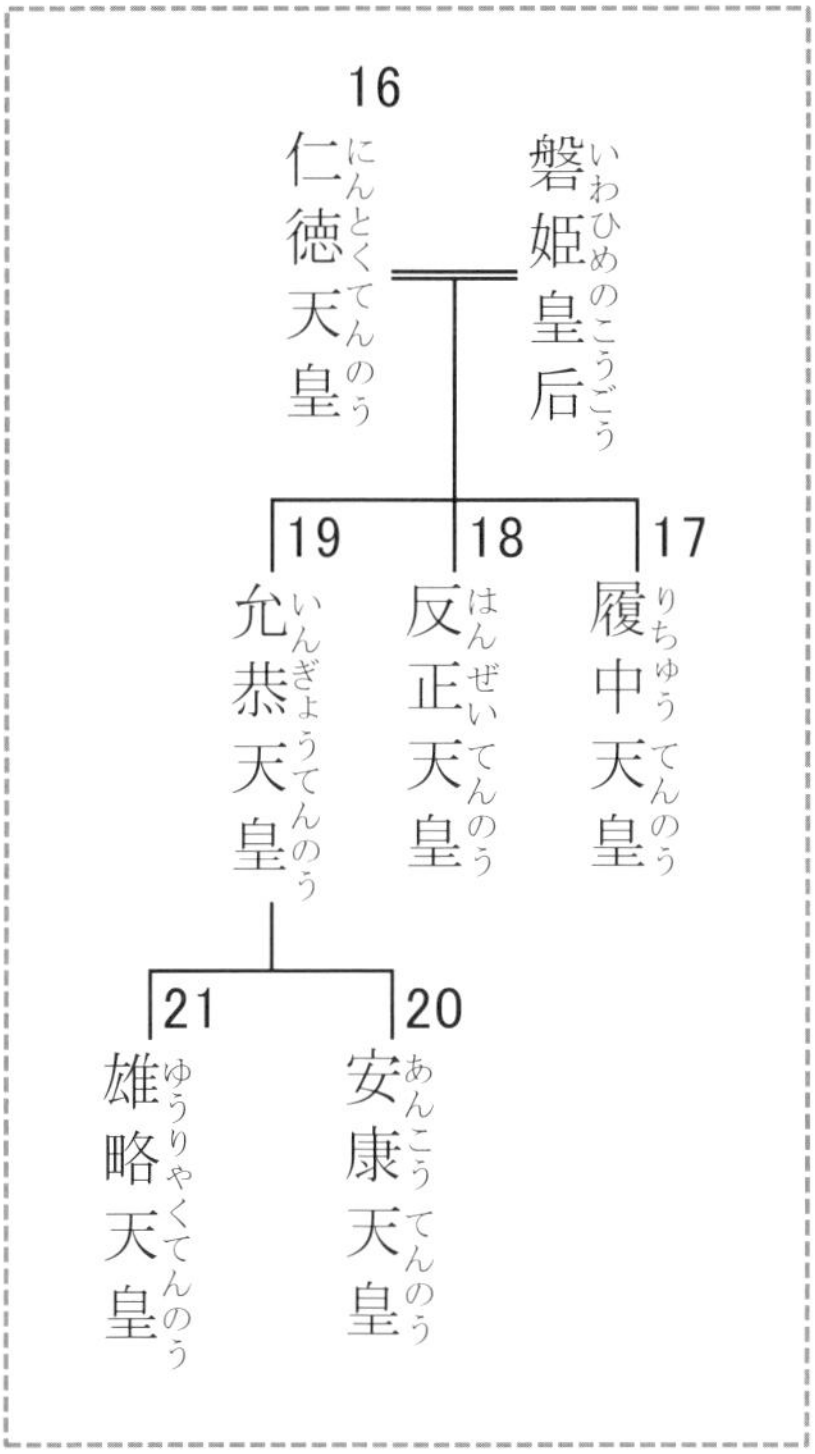

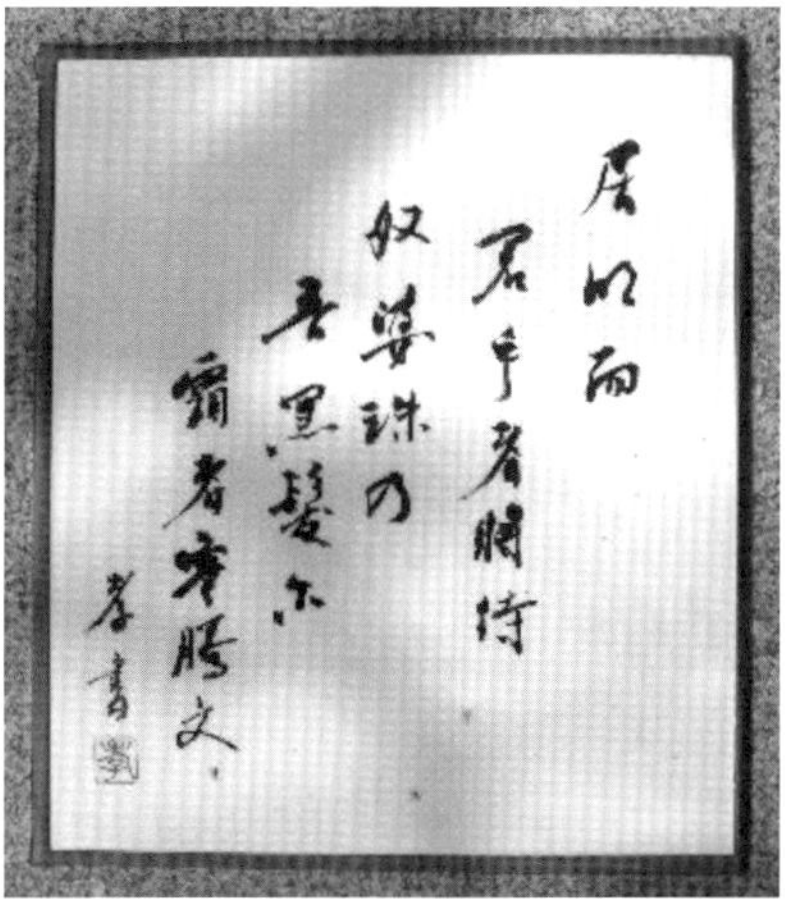

【堺市伝仁徳天皇陵西遊歩道の副碑】

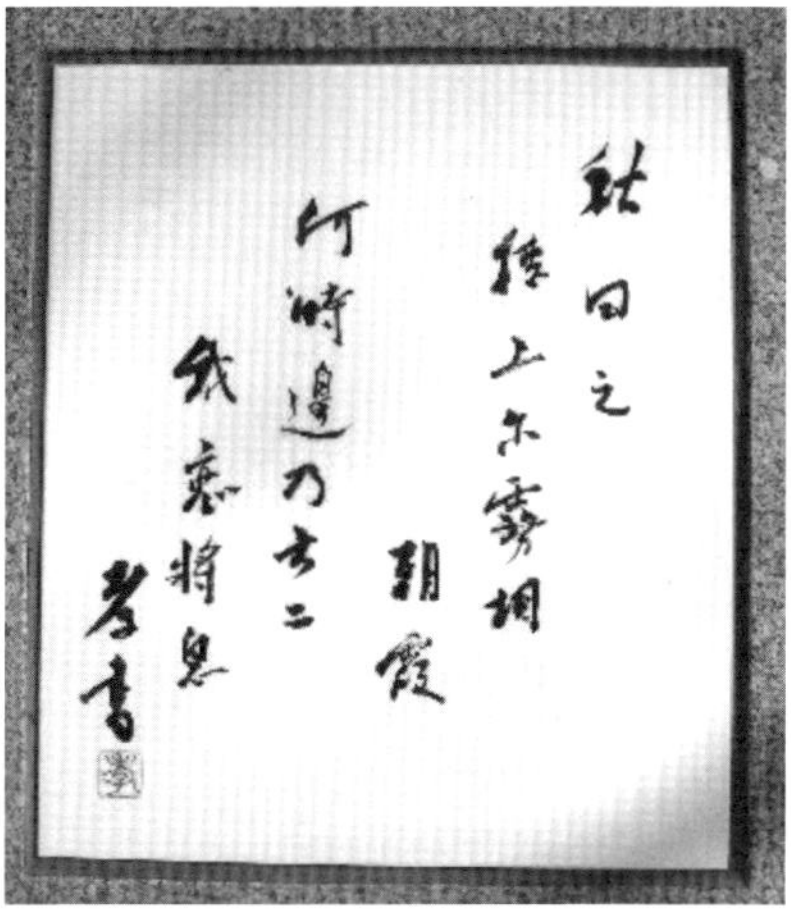

【堺市伝仁徳天皇陵西遊歩道の副碑】

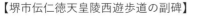

籠《かご》よ　籠々《かごかご》　良《え》ぇ籠《かご》さげて
掘串《くし》よ　掘串々々《くしくし》　良ぇ掘串《くし》持って
岡で菜《な》を摘《つ》む　そこなる娘
家は何処《どこ》かな　名は何《なん》ちゅうか
ここの麗《うるわ》し　大和の国を
治《おさ》めおるんは　このわしなるぞ
仕切っておるは　わしこそなるぞ
わしも名告るぞ　名前も家も
（お前も名告れ　名前と家を）

籠《こ》（かご）もよ　み籠《こ》持《も》ち
掘串《ふくし》（土掘りのへら）もよ　み掘串《ぶくし》持《も》ち
この岡に　菜《な》摘《つ》ます児
家聞（家を聞こう）かな　名告《の》らさね（名を言いなさい）
※そらみつ（うるわしい）　大和《やまと》の国《くに》は
平定《おし》（全部治めて）なべて　我れこそ居《お》れ
統《しき》（全部仕切って）なべて　我れこそ座《ま》せ
我れこそは告《の》らめ（名告ろう）　家をも名をも
―雄略天皇《ゆうりゃくてんのう》―（巻一・一）

【和歌《うた》が詠《よ》まれた背景《はいけい》】

・春だ、春来た、菜摘《なつみ》の時だ
・天皇さまも　お出かけするぞ
・菜摘《なつみ》の娘に、声掛け、名聞く
・名前聞くのは、これプロポーズ
・答えてしまうは、「承知」のしるし
・娘、答えず、黙っておれば
・天皇焦《じ》れて、またまた誘う

【雄略天皇《ゆうりゃくてんのう》】（?〜?）

・第21代の天皇
・初瀬《はつせ》の朝倉宮《あさくらのみや》に都《みやこ》を置いた
・強い力を持った天皇で、豪族を従わせて、初めて国を統一した天皇

※この和歌《うた》は、天皇そのものの和歌《うた》でなく、春の行事をするときに歌われたものらしい

・そらみつ＝「大和《やまと》」に掛かる枕詞。「空に山々が満ちている」意味か？

【初瀬の朝倉宮址伝承地から大和三山地方を見る】

大和《やまと》には　多数《ようけ》山ある　その中で
全部素晴らし　香具山に
登って国見　してみたら
陸《おか》では炊煙《けむり》　昇ってる
水辺に水鳥《とり》が　飛んどぉる
なんと好《え》え国
大和の国は

大和《やまと》には
群山《むらやま》あれど
完全無欠《とりよろう》（全部が備わる）　天《あめ》の香具山
登り立ち　国見をすれば
国原《くにはら》は（陸のあちこち）　煙《けぶり》立ち立つ
海原《うなはら》は（水辺あちこち）　鴎《かまめ》立ち立つ
美《うま》し国ぞ　蜻蛉島《あきづしま》※（ほめるべきかな）
大和の国は

—舒明天皇《じょめいてんのう》—（巻一・二）

【和歌《うた》が詠《よ》まれた背景《はいけい》】

・（かまどの煙は生活《くらし》の豊かさを、水鳥が飛ぶのは魚が多いことを表す）

・『国見』は、種をまく時期である春の始めに、秋の収穫の良いことを願って、その地域の土地を褒《ほ》める行事

・褒《ほ》めることで、良い結果を得ようと期待するのは、言葉には不思議な力があって、言ったことが実現すると信じられていた。これを『言霊《ことだま》』と言う

【舒明天皇《じょめいてんのう》】（593？〜641）

・第34代の天皇

・天智《てんち》天皇・天武《てんむ》天皇の父

※数字の「？」は推定

・蜻蛉島《あきづしま》＝「大和《やまと》」に掛かる枕詞。蜻蛉《あきづ》はトンボのことで、秋の実りを表し、蜻蛉島《あきづしま》はその土地のこと

【甘樫丘《あまかしのおか》から西北を見る
・現在香久山の頂上は茂っていて見られない】

高安山《やま》の上　お前の家が　あったらな
お前を思《おも》て　見てられるのに

妹《いも》が家も　継《つ》ぎて見ましを
（見続けていられたらなぁ）
大和なる　大島の嶺《ね》に　家もあらましを
（家があったらなぁ）
（大島の嶺＝生駒の南に続く信貴山の一峰＝高安山？）

―中大兄皇子《なかのおおえのみこ》―（巻二・九一）

・妹《いも》＝あなた・お前（男が妻や恋人を親しんで言う時に使う）

【和歌《うた》が詠《よ》まれた背景《はいけい》】

・(あれ珍しい、皇子《みこ》からの文だわ)
・大化《たいか》の改新《かいしん》が進み、都《みやこ》は難波《なにわ》の地に移っていた
・天皇は、皇極《こうぎょく》天皇(第35代)から孝徳《こうとく》天皇(第36代)に変わったが、政治を取り仕切るのは中大兄皇子《なかのおおえのみこ》である
・忙しく、なかなか会いに来ない皇子《みこ》を待っている鏡王女《かがみのおおきみ》に和歌《うた》が届く
・久しぶりの文を見て、嬉しく思った鏡王女《かがみのおおきみ》は、待つ口惜《くや》しさをそれとなく込めて和歌《うた》を返す

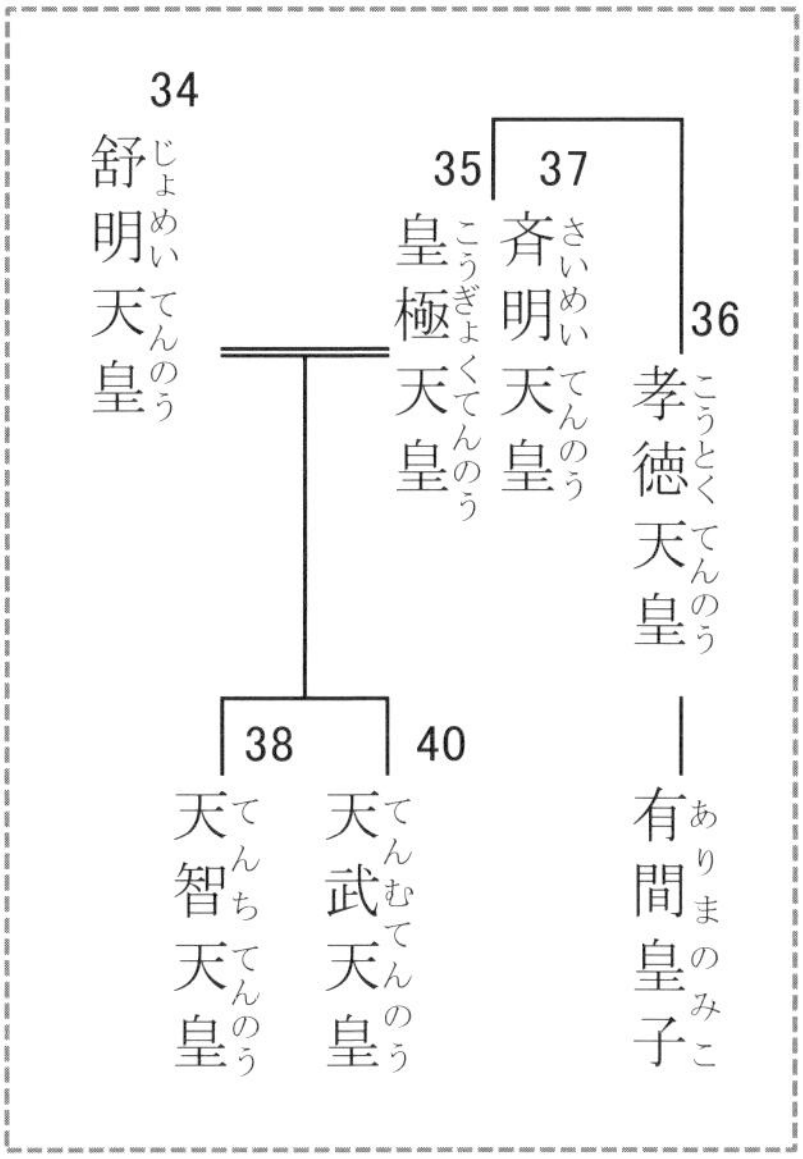

【中大兄皇子《なかのおおえのみこ》】(626〜671)

・後の天智《てんち》天皇(第38代)
・中臣鎌足《なかとみのかまたり》らと蘇我《そが》氏を滅ぼし、大化《たいか》の改新《かいしん》を行った
・唐が攻めて来るのを避けるため近江《おうみ》の国(滋賀県)の大津に都《みやこ》を移した

木の下を　潜《もぐ》り流れる　水みたい
うちのが思い　深いで皇子様《あんた》

秋山の　木《こ》の下隠《かく》り　行く水の
我れこそ増さめ（増していますよ）　御思《みおも》いよりは
―鏡王女《かがみのおおきみ》―（巻二・九二）

【鏡王女《かがみのおおきみ》】（*634*？～*683*？）
・額田王《ぬかたのおおきみ》の姉かと言われる
・天智《てんち》天皇のお妃《きさき》であったが、後に藤原鎌足《ふじわらのかまたり》の正式の妻になる
※数字の斜体は、根拠はないが推定したもの

【鏡王女の墓へ辿る道にある歌碑】

【忍坂《おっさか》にある鏡王女の墓】

岩代《いわしろ》の　松枝結び　祈るんや
無事で居《お》れたら　また見に寄ると

岩代《いわしろ》の　浜松が枝《え》を　引き結び
真幸《まさき》くあらば　また帰り見ん
―有間皇子《ありまのみこ》―（巻二・一四一）

【和歌《うた》が詠《よ》まれた背景《はいけい》①】

・（父は殺されたのと同じだ）
・有馬皇子《ありまのみこ》の胸に憎しみが募《つの》る
・孝徳《こうとく》天皇は難波《なにわ》の地が気にいっていた
・しかし、不慣れな地での政治は上手《うま》く行かず、都《みやこ》は再び飛鳥《あすか》へと
・中大兄皇子《なかのおおえのみこ》は、同意しない天皇を置き去りにして強引に戻る
・そのまま天皇は亡くなり、元の皇極《こうぎょく》天皇が斉明《さいめい》天皇（第37代）として着く
・着いてすぐ、宮殿は火災で焼け落ちる
・強引な政治の進め方に対する反発か？
・これに対し、中大兄皇子《なかのおおえのみこ》は、さらに強く出て、大土木工事を始める
・それならばと反発を強める人々は、孝徳《こうとく》天皇の皇子《おうじ》の有間皇子《ありまのみこ》に立って貰おうとして、皇子《みこ》に支持が集まる
・賢明な有間皇子《ありまのみこ》は、利用されるのを避けるため、気の狂ったふりをする
・その後、斉明《さいめい》天皇と中大兄皇子《なかのおおえのみこ》が紀の湯（白浜温泉）行っている時、留守番役の蘇我赤兄《そがのあかえ》が有間皇子《ありまのみこ》を訪ねてきて言う
・「今の政治に三悪あり　大土木工事をして国の財を失う・・・」
・その手には乗らない有間皇子《ありまのみこ》であったが、ついに気を許す
　・・・・・・
・有間皇子《ありまのみこ》は引き立てられていく
・紀の湯の間近、岩代《いわしろ》の地で、有間皇子《みこ》は祈る

家でなら　食器《うつわ》に供《そな》え　祈るのに
旅先やから　椎葉《しい》で供《そな》える

家にあれば　笥《け》（食器）に盛る飯《いい》を
草枕　旅にしあれば　椎《しい》の葉に盛る
※（引かれ行く）

―有間皇子《ありまのみこ》―　（巻二・一四二）

【有間皇子《ありまのみこ》】（640～658）
・孝徳《こうとく》天皇の皇子《おうじ》
・蘇我赤兄《そがのあかえ》にだまされて、謀反《むほん》の罪を被《かぶ》せられ、紀伊《き》の湯で問い質《ただ》された帰りの藤代坂《ふじしろざか》で首を括《くく》らされた

【和歌《うた》が詠《よ》まれた背景《はいけい》②】

・（どうして、我れが責《せ》められなくてはならないのだ）

・中大兄皇子《なかのおおえのみこ》の問い質《ただ》しに、有間皇子《ありまのみこ》は答える

・「天と赤兄《あかえ》が知っている　私が何を知っているというのです」と

・問い質《ただ》しに詰まった中大兄皇子《なかのおおえのみこ》は「もういい帰れ」と言う

・（何ということだ）と思って帰る道筋

・待っていたのは藤代坂《ふじしろざか》での悲劇

・時に、有間皇子《ありまのみこ》19歳

【岩代の結び松記念碑】

香久山《かぐやま》は
畝傍《うねび》のお山　可愛《かい》らしと
耳成《みみなし》さんと　喧嘩《けんか》した
神代《かみよ》からして　そぅなんや
昔からして　そぅやから
今も妻《よめ》さん　取り合い為《す》んや

香久山《かぐやま》は
畝傍《うねび》を愛《お》しと
耳梨《みみなし》と　相《あい》争いき
神代《かみよ》より　斯《か》くに（このようで）　あるらし
古昔《いにしえ》も　然《しか》に（そのようであるから）あれこそ
現世《うつせみ》も妻《つま》を　争うらしき

―天智天皇《てんちてんのう》―（巻一・一三）

【和歌《うた》が詠《よ》まれた背景《はいけい》】

・（おう、ここが印南国原《いなみくにはら》か）

・中大兄皇子《なかのおおえのみこ》は、船の上にいた

・目指すは朝鮮半島

・同盟を結んでいた百済《くだら》を助けにでかける

新羅《しらぎ》・唐と戦うための船である

・難波《なにわ》の浜を出た船は、播磨《はりま》の国（兵庫県）

の印南野《いなみの》の沖に差し掛かる

・伝説の印南野《いなみの》だ

・大和《やまと》の三山《さんざん》が争ったとき、出雲《いずも》の神が仲裁

に駆《か》け付けここまで来たが、争いが収まっ

たと聞いて引き返した地である

・それを思って中大兄皇子《なかのおおえのみこ》は詠《うた》う

・額田王《ぬかたのおおきみ》をめぐっての大海人皇子《おおあまのみこ》との恋争

いが見え隠れする？

【山の辺の道から見る大和三山】

熟田津《にきたつ》で　月　潮待って　船出《ふなで》待ち
来た　来た　来たぞ　さあ漕ぎ出《だ》そや

熟田津《にきたつ》に（道後温泉付近の船着き場）**　船乗《ふなの》りせんと　月待てば**
潮も叶いぬ　今は漕《こ》ぎ出《い》でな（漕ぎ出そうよ）
―額田王《ぬかたのおおきみ》―（巻一・八）

【額田王《ぬかたのおおきみ》】（643？〜715？）
・万葉第一期の代表的歌人
・天智《てんち》天皇から愛される
・元は大海人皇子《おおあまのみこ》（後の天武《てんむ》天皇）の妻であった
・大海人皇子《おおあまのみこ》との間に十市皇女《とおちのひめみこ》を産んでいる
・鏡王女《かがみのおおきみ》の姉と言われる
・長歌3首、短歌9首がある

【和歌《うた》が詠《よ》まれた背景《はいけい》】

・（さぁ、額田王《おおきみ》よ、皆《みな》の心を奮《ふる》い立たせるのだ）

・新羅《しらぎ》征伐の船は、西へと進み、伊予《いよ》の国（愛媛県）熟田津《にきたつ》（道後温泉）に着く

・その軍勢、なんと二万七千

・ここで戦いのための準備をする

・月の出を待ち、潮時の良いのを見計《みはか》らっての船出

・さぁ出発だ

・目指すは半島西部の白村江《はくすきのえ》（錦江《きんこう》の河口《かこう》）

【熟田津？（松山市堀江浜）】

あかんがな　うちの気持ちが　分かるなら
雲さん三輪山《みわやま》　隠さんとって

三輪山を　然《しか》も（そのように）隠すか
雲だにも（せめて雲だけでも）　情《こころ》あらなん（あって欲しい）　隠そうべしや（隠すなんてことがあろうか）

—額田王《ぬかたのおおきみ》—（巻一・一八）

【和歌《うた》が詠《よ》まれた背景《はいけい》】

・（あぁ、見ていたい山を、雲が隠す）

・白村江《はくすきのえ》の戦いで大敗した中大兄皇子《なかのおおえのみこ》は、新羅《しらぎ》・唐が攻めて来るのを恐れ、都《みやこ》を移す

・近江《おうみ》の国（滋賀県）大津へと

・そこは攻めて来るだろう瀬戸内海から遠く、東国《とうごく》の軍隊の力も使える

・都《みやこ》移りの行列は、延々と続く

・大和《やまと》との別れ

・それは慣れ親しんだ神の山・三輪山《みわやま》との別れでもある

・「さようなら　三輪山《おやま》よ　せめてその姿を見せ続けておくれ・・・」

【初瀬川の川傍から見る三輪山】

愛《いと》し三輪山　離れ行く
恋し奈良山　遠ざかる
山重《かさ》なって　見え隠れ
つづら山道　隠し行く
何時《いつ》いつまでも　見ていたい
振り向き見たい　山やから
情《こころ》有るなら
雲隠しなや

味酒《うまざけ》　三輪の山
※（神宿る）
青丹《あおに》よし　奈良の山の
※（慕い来た）
山の際《ま》に　い隠《かく》るまで
道の隈《くま》　い積《つ》もるまでに
つばらにも　見つつ行かんを
（引き続き）
しばしばも　見放《さ》けん山を
（見上げていたい）
情《こころ》なく
（無情にも）
雲の　隠《かく》そうべしや
（隠すなんてことがあるだろうか）

―額田王《ぬかたのおおきみ》―（巻一・一七）

【山の辺の道から見る三輪山と歌碑】

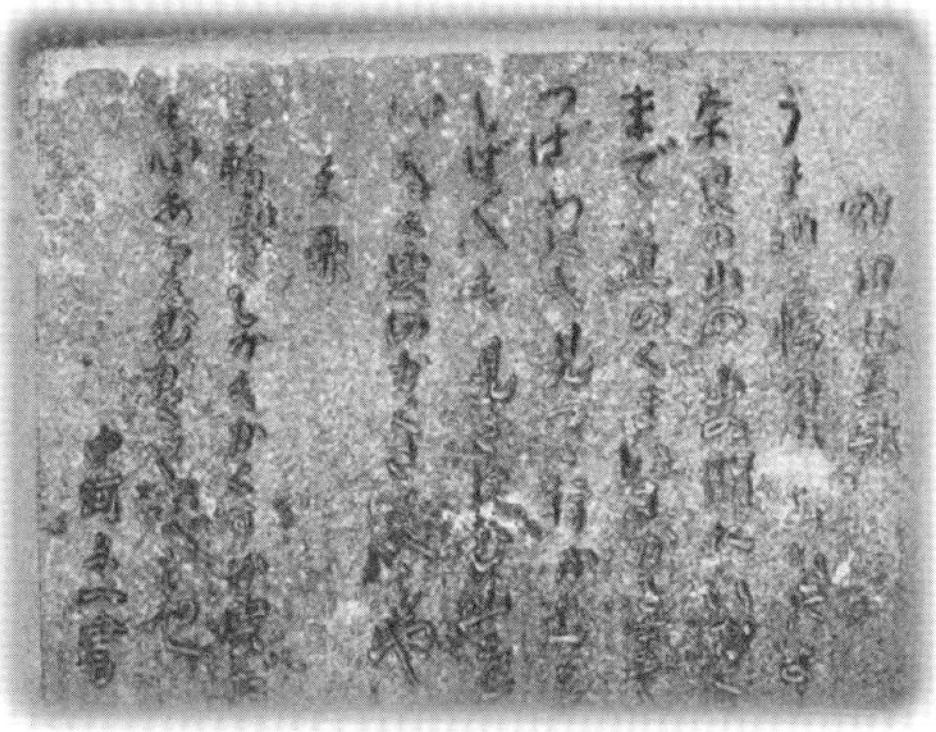

・味酒《うまざけ》＝味の良い酒を神酒《みわ》と言う。同じ「みわ」の「三輪」に掛かる枕詞

・青丹《あおに》よし＝奈良から青丹《あおに》という緑色の絵の具材料になる土が出たので「奈良」に掛かる枕詞

春野摘み　野守り見るやん
行《い》き来《き》して　うちの方向《ほ》こて　袖なぞ振って

茜《あかね》さす※（美しい）
紫野《むらさきの》（紫草を栽培する野）行き　標野《しめの》（一般の出入りを禁じる皇室の領地）行き
野守《のもり》（野の番人・ここは天智天皇）は見ずや　君が袖振る

―額田王《ぬかたのおおきみ》―（巻一・二〇）

大海人皇子《おおあまのみこ》＝額田王《ぬかたのおおきみ》＝中大兄皇子《なかのおおえのみこ》

・茜《あかね》さす＝「紫」に掛かる枕詞。茜草《あかねぐさ》で染めると、赤や紫の色になる

【和歌《うた》が詠《よ》まれた背景《はいけい》】

・（あれ、若いころと変わらず、大胆な）
・近江《おうみ》の国の大津に都《みやこ》が移った翌年の５月５日
・蒲生野《がもうの》（東近江市八日市《ようかいち》町を中心とする広い地域）で行われた薬狩り
・この蒲生野《がもうの》が、紫野《むらさきの》であり標野《しめの》である
・薬狩りは、男は生《は》え始めた鹿の角を取り、女は薬草を採《と》る楽しみの行事
・薬草摘みを楽しむ額田王《ぬかたのおおきみ》に元の夫であった大海人皇子《おおあまのみこ》が親し気に袖を振る
・微笑《ほほえ》ましく思うが、「人目もあるのに」と額田王《ぬかたのおおきみ》は和歌《うた》を投げ掛ける
・（さあ、何と答える大海人皇子《おおあまのみこ》よ）

【岡山県久米南町里方（笛吹川歌碑公園）の歌碑】

そう言《い》いな　可愛いお前に　連れ合いが
居《お》るん承知で　誘《さそ》たんやから

紫草《むらさき》の　映《にお》える妹《いも》を　憎くあらば
（紫草のように美しい　あなたを）（憎いのであれば）
人妻不拘《ゆえ》に　我れ恋いめやも
（人妻だからと遠慮して）（恋しないことがあろうか）

—大海人皇子《おおあまのみこ》—（巻一・二一）

【大海人皇子《おおあまのみこ》】（*644*?〜686）
・後の天武《てんむ》天皇
・天智《てんち》天皇が亡くなった後、吉野で兵をあげ、壬申《じんしん》の乱で天智《てんち》天皇の皇子《おうじ》の大友皇子《おおとものみこ》（弘文《こうぶん》天皇〈第39代〉）を亡ぼし、飛鳥《あすか》の浄御原《きよみはら》の宮で天皇に着いた

【舟岡山の頂上にある巨岩に彫られた二人の歌碑】

【五月の蒲生野・今は水田が広がる】

冬去《い》って仕舞《も》て　春来たら
鳴けへんかった　鳥も鳴く
咲かへん花も　咲くけども
山茂ってて　入《い》り取れん
草深いから　取り見れん
秋山入《はい》って　葉ぁ見たら
黄葉《いろづき》した葉　好《え》ぇ思う
けど青い葉《ん》は　も一つや
そこが　適《かな》んな
う～ん　秋やな　うちは

冬こもり　春さり来《く》れば
※（冬が去り）　（続いて春が来たならば）
鳴かざりし　鳥も来《き》鳴きぬ
（鳴いてなかった）
咲かざりし　花も咲けれど
（咲いてなかった）
山を茂《しげ》み　入りても取らず
（茂って0いるので）
草深《ふか》み　取りても見ず
（深いので）
秋山の　木《こ》の葉を見ては
黄葉《もみじ》をば　取りてぞ賞美《しの》ぶ
青きをば　置きてぞ嘆《なげ》く
そこし恨《うら》めし
（そここそが恨めしい）
秋山我れは
（秋山だわ　私は）
―額田王《ぬかたのおおきみ》―（巻一・一六）

【和歌《うた》が詠《よ》まれた背景《はいけい》】

・（さぁさぁ、どちらじゃ、言うてみよ）

・花々が咲き競う春が良いか

・紅葉《もみじ》の色づく秋が良いか

・それのどちらかを、皆が集まって漢詩を作って競争していた時

・中大兄皇子《なかのおおえのみこ》は額田王《ぬかたのおおきみ》を呼び出したと

・「春と秋、どちらが良いかをお前が決めよ」

・しばらく黙っていた額田王《ぬかたのおおきみ》は、ゆっくりと和歌《やまとうた》で答える

・春を褒《ほ》め、秋を褒《ほ》め

・それぞれの詰まらない点を言いながら

・額田王《ぬかたのおおきみ》が出した結論は・・・

・冬こもり＝「春」の枕詞。冬の間は縮《ちぢ》こまっていた芽が段々と張り膨《ふく》らむようになってくる

わし貰《も》ろた　安見児《やすみこ》貰《も》ろた

誰も皆《みな》　欲《ほ》しい思《おも》てた　安見児《やすみこ》貰ろた

我れはもや（我はとうとう）　安見児《やすみこ》得たり

皆人《みなひと》の　得難《えかて》にすと云う（手に入れ難いという）　安見児《やすみこ》得たり

―藤原鎌足《ふじわらのかまたり》―（巻二・九五）

【和歌《うた》が詠《よ》まれた背景《はいけい》】

・（あの鎌足《かまたり》どのが、まぁまぁ）
・藤原鎌足《ふじわらのかまたり》は、安見児《やすみこ》を手に入れた
・いつも冷静で、何があっても狼狽《うろた》えることのない鎌足《かまたり》が、このように喜ぶ
・天皇に仕えて、他《ほか》の男性との関わりを禁じられている采女《うねめ》であった安見児《やすみこ》
・その滅多に手に入れることのできない、心やさしく美しい安見児《やすみこ》
・誰もが手に入れたいと思っていた安見児《やすみこ》
・鎌足《かまたり》の嬉しさが目に見えるようである

【藤原鎌足《ふじわらのかまたり》】（614～669）

・旧姓は中臣鎌足《なかとみのかまたり》
・中大兄皇子《なかのおおえのみこ》を助けて、蘇我《そが》氏を滅ぼし、大化《たいか》の改新《かいしん》を成功させた

あっすだれ　揺れた思《おも》たら　風やんか
あんまりうちが　焦がれるよって

君待つと　我が恋い居《お》れば
我がやどの　簾《すだれ》動かし　秋の風吹く
―額田王《ぬかたのおおきみ》―（巻四・四八八）

【和歌《うた》が詠《よ》まれた背景《はいけい》①】

・(女がどれほど待ち焦《こ》がれているか、お知りではないのか)

・近江《おうみ》の都《みやこ》で中大兄皇子《なかのおおえのみこ》は天皇になった

・天智《てんち》天皇である

・政治《まつりごと》に忙しい天皇はなかなか訪ねてこない

・待ち焦がれる額田王《ぬかたのおおきみ》が、簾《すだれ》を動かす秋の風に、思わず「あれっ」と思う

【東近江市八日市本町の市神神社にある歌碑】

羨《うらや》まし　風と間違《まちご》て
うちなんか　待つ人無《の》うて　嘆《なげ》かれへんわ

風をだに（せめて風だけでも）　恋うるは羨《とも》し
風をだに　来《こ》んとし（来るかと思って）　待たば　何か嘆《なげ》かん

—鏡王女《かがみのおおきみ》—（巻四・四八九）

【和歌《うた》が詠《よ》まれた背景《はいけい》②】

・額田王《おおきみ》の和歌《うた》を聞いて、姉の鏡王女《かがみのおおきみ》は、
寂しそうに和歌《うた》を返す

・夫の藤原鎌足《ふじわらのかまたり》は、中大兄皇子《なかのおおえのみこ》が天皇になる
前の年に、亡くなっていたのだ

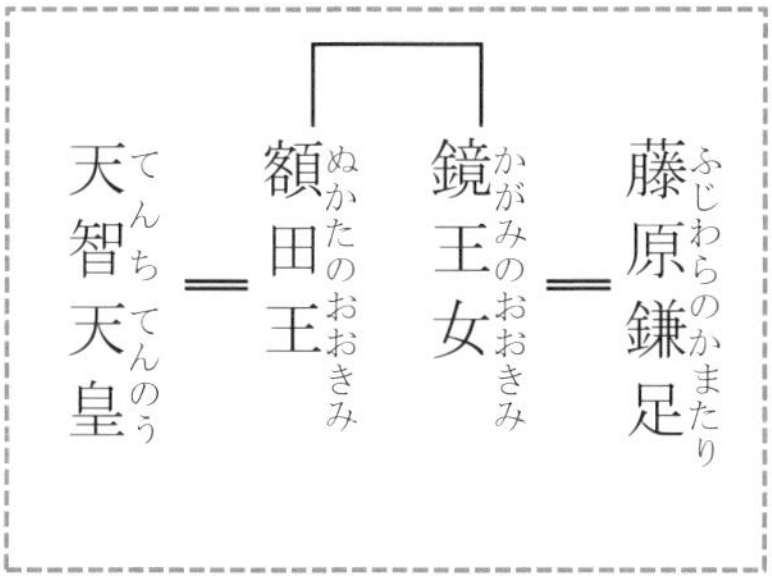

心思うも　憚《はばか》り多い
口にするさえ　畏《おそ》れの多い
ここの明日香の　真神《まがみ》の原に
何と素晴らしし　立派な都《みやこ》
畏《おそ》れ多くも　お造りなされ
やがてに今は　お隠れなった
あの偉大なる　天武の帝《みかど》

心懸《か》けまくも　憚《ゆゆし》きかも
言《い》わまくも　無性《あや》に畏《かしこ》き
明日香の　真神《まがみ》が原に
久方の※（ご立派な）　**天《あま》つ御門《みかど》を**（朝廷の首都）
畏《かしこ》くも　定め給いて
神《かん》さぶと（神となられて）　**岩隠《いわがく》ります**
やすみしし※（偉大なる）　**我が大君の**

・久方の＝「天」に掛かる枕詞。「日が射してくる方」の意味
・やすみしし＝八隅知《やすみし》し（国の隅々《すみずみ》を治める）意味で「我が大君」
に掛かる枕詞

お治めなさる　都《みやこ》の北の
木々の繁れる　不破山《ふわやま》越えて
地形これ良き　和射見《わざみ》が原に
ここを陣地と　お定めなされ
天下鎮《しず》めて　統一果たし
治める国の　平定得《え》んと

統治《きこし》めす　北方《そとも》の国の
真木《まき》立つ　不破山《ふわやま》越えて
※（好い立地の）（関ケ原）
高麗剣《こまつるぎ》　和射見《わざみ》が原の
行宮《かりみや》に　天降《あも》り座《いま》して
（仮の宮殿＝陣地）（天から下られ＝陣を敷かれ）
天《あめ》の下　治《おさ》め給い
支配《おす》国を　定め給うと

・高麗剣《こまつるぎ》＝「わ」に掛かる枕詞。高麗国《こまくに》から伝わった剣《つるぎ》は、手元の先が環《わ》になっていた

東《あずま》の国の　あちこちからに
軍勢となる　人々集め
背《そむ》く者共　和《な》ぎ鎮《しず》ませよ
刃向かう賊は　討ち果たせよと
皇子高市《おうじたけち》に　任授《さず》ければ

鶏《とり》が鳴く　東《あずま》の国の
※（味方する）御軍士《みいくさ》を　召《め》し給いて
反抗《ちはや》ぶる　人を和《やわ》せと
服従《まつろ》わぬ　国を治めと
皇子《みこ》ながら　任《よさ》し給えば

・鶏《とり》が鳴く＝鶏《にわとり》が鳴くと東の方から夜が明け始めるので「東《あずま》」に掛かる枕詞

皇子《おうじ》その身に　大刀《たち》をば佩《は》かれ
そのお手にては　弓取り持たれ
集いし軍勢《へい》を　引き連れ出陣《たつ》に
軍を纏《まと》める　太鼓の音は
まるで　雷《かみなり》　鳴り響く様《よう》
響き渡れる　その笛の音《ね》は
敵見て唸《うな》る　虎吼《ほ》えるかに
敵の兵士の　怖気《おじけ》を誘う

大御身《おおみみ》に　大刀《たち》取り佩《は》かし
大御手《おおみて》に　弓取り持たし
御軍士《みいくさ》を　率《あども》い給い
整《ととの》うる　鼓《つづみ》の音は
雷《いかずち》の　声《おと》と聞くまで
吹き響《な》せる　小角《くだ》《（つのぶえ）》の　音《おと》も
敵《あた》見たる　虎《とら》か吼《ほ》ゆると
諸人《もろひと》の　怯《おび》ゆるまでに

捧《ささ》げ持ちたる　紅旗《あかはた》の揺れ
冬が尽き行き　春来たならば
野焼きの為に　付けたる火々が
風に吹かれて　靡くが如し
手にと持たれる　結弦《ゆづる》の音は
雪の降り来る　冬林にと
旋風《つむじ》を起こし　吹き渡るかと
思うまでにも　恐ろに響き

捧《ささ》げたる　紅旗《はた》の靡《なびき》は
冬ごもり※（冬が果てて）　春来《さ》り来れば
野ごとに　着《つ》きてある火の
風の共《むた》　靡《なび》くがごとく
取り持てる　弓弭《ゆはず》の騒《さわ》ぎ
み雪降る　冬の林に
旋風《つむじ》かも　い巻き渡ると
思うまで　聞《き》きの畏《かしこ》く

放つその矢は　頻りと飛びて
まるで吹雪が　舞い散る如し
立ち向かい来る　仇《あだ》なす敵は
露霜ならば　消え去る如く
飛び立つ鳥と　逃げ競いしも
遥かな伊勢の　神宮《みや》から吹きた
神風《かみかぜ》敵を　吹き惑《まど》わせて
天雲《あまぐも》起こし　日輪《にちりん》隠し
敵を闇へと　葬《ほうむ》り去って

引き放《はな》つ　矢の繁《しげ》けく
大雪の　乱れて来《きた》れ
服従《まつろ》わず　立ち向かいしも
露霜《つゆしも》の　消《け》なば消《け》ぬべく（消えるなら消えよとばかり）
行く鳥の　競《あらそ》う間《はし》に
渡会《わたらい》の（渡会の地の）　斎《いつき》の宮ゆ（伊勢神宮）
神風《かむかぜ》に　い吹き惑《まど》わし
天雲《あまぐも》を　日の目も見せず
常闇《とこやみ》に　覆《おお》い給いて

平和戻した　瑞穂《みずほ》の国《くに》を
神さながらに　統一なされ
やがてに皇子《みこ》が　引き継がれてに
ここの天下を　お治めなれば
万代《よろずよ》までも　このままずっと
木綿花《はな》が咲く様《よ》に　栄えるものと・・・

平定《さだ》めてし　瑞穂《みずほ》の国（日本国）を
神《かん》ながら（神として）　統治《ふとしき》まして
やすみしし※（その後を）　我が大君《おおきみ》の
天の下　治世《もう》し給えば
万代《よろずよ》に　然《しか》もあらんと
木綿花《ゆうはな》の　栄ゆる時に・・・・

—柿本人麻呂《かきのもとのひとまろ》—（巻二・一九九）

※高市皇子死亡時の挽歌の前半

【和歌《うた》が詠《よ》まれた背景《はいけい》】

・天智《てんち》天皇は病《やまい》の床《とこ》に居た
・大海人皇子《おおあまのみこ》を呼び、「次の天皇を」と言葉巧みに皇子《みこ》の本心を探る
・(その手には乗らぬ)と皇子《みこ》は髪を剃り僧となって、身の安全を図るため吉野へと逃げる
・その二か月後の12月、後《あと》を息子の大友皇子《おおとものみこ》に託《たく》し、天智《てんち》天皇は亡くなる
・年が明けての6月、大海人皇子《おおあまのみこ》は吉野を抜け出し、わずか四日で和射見《わざみ》が原へ
・出発の時、40人ほどだった人数は、その時には数百の軍勢に
・ここに決戦の火蓋《ひぶた》は落とされた

【和射見が原・のろし台から西を見る】

第二章　第二期の和歌《うた》

【この時代の主な出来事】

・天武《てんむ》天皇が位に着き、天皇中心の政治が始まる
・天皇が亡くなった後《あと》、大津皇子《おおつのみこ》の事件が起こる
・持統《じとう》天皇が位に着き、都《みやこ》は藤原京《ふじわらきょう》に移る
・天皇を褒《ほ》め称《たた》える和歌《うた》が多く詠《よ》まれ、重みを持った長歌《ちょうか》が沢山生まれる
・平城京《へいじょうきょう》（今の奈良）へ都《みやこ》が移る

【和歌《うた》を詠《うた》った主な人】

天武《てんむ》天皇、持統《じとう》天皇、大伯皇女《おおくのひめみこ》
大津皇子《おおつのみこ》、柿本人麻呂《かきのもとのひとまろ》、高市黒人《たけちのくろひと》
志貴皇子《しきのみこ》

区分	都	天皇	西暦	年号	年	月	事柄
第二期	飛鳥浄御原	天武	672年	（天武）	1年	12月	飛鳥浄御原宮遷都
			673年	（天武）	2年	2月	天武即位
						4月	大伯皇女（13）斎王として泊瀬→伊勢へ
			679年	（天武）	8年	5月	吉野会盟
			681年	（天武）	10年	2月	草壁皇子（20）皇太子に
			683年	（天武）	12年	2月	大津皇子（21）に朝政
	飛鳥浄御原	持統	686年	朱鳥	1年	9月	天武崩御（43）持統称制
						10月	大津皇子の変（24）
						11月	大伯皇女（26）斎宮解かれ帰京
			689年	（持統）	3年	4月	草壁薨去（28）
			690年	（持統）	4年	1月	持統天皇（46）正式即位
						5月	吉野行幸
			693年	（持統）	7年	11月	阿騎野の狩り
	藤原京		694年	（持統）	8年	12月	藤原京　遷都
		文武	697年	（文武）	1年	8月	持統譲位　文武即位
			701年	大宝	1年	2月	吉野行幸
						8月	大宝律令成立
						12月	持統崩御（58）
			707年	慶雲	4年	6月	文武崩御
		元明				7月	元明即位
			710年	和銅	3年	3月	平城京遷都

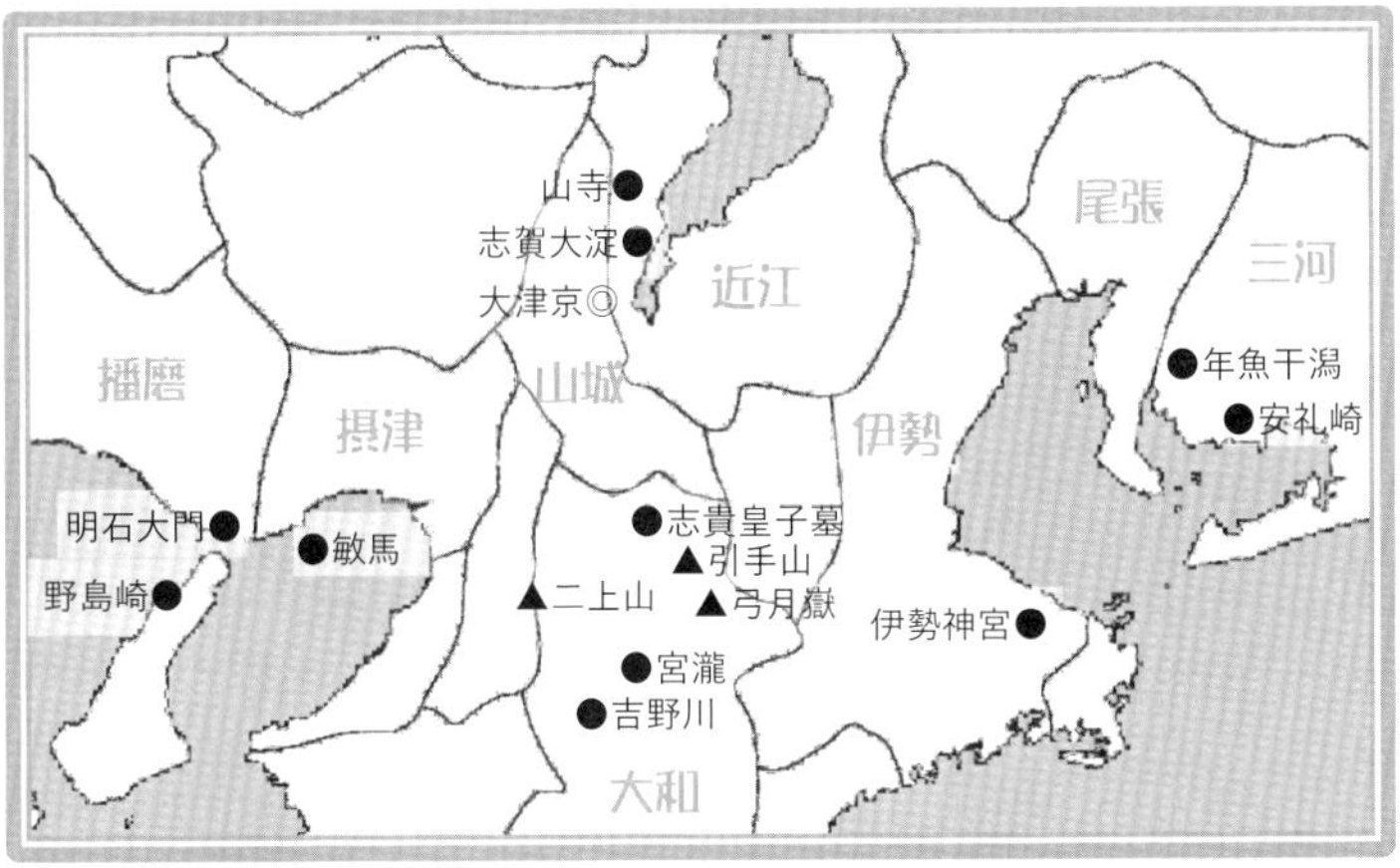
山寺
志賀大淀
大津京
近江
尾張
三河
播磨
摂津
山城
伊勢
年魚干潟
安礼崎
明石大門
敏馬
野島崎
志貴皇子墓
引手山
二上山
弓月嶽
伊勢神宮
宮瀧
吉野川
大和

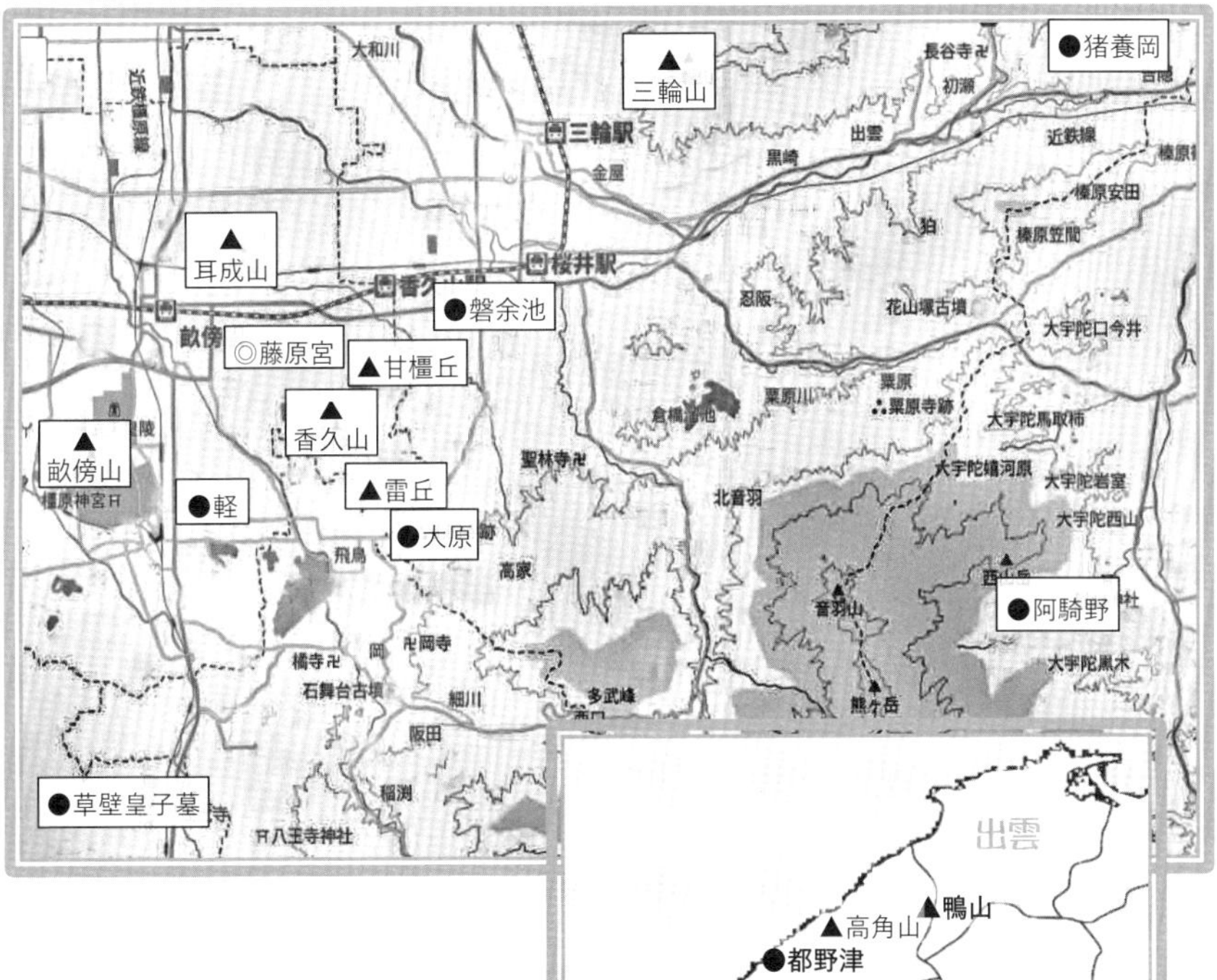
三輪山
猪養岡
三輪駅
耳成山
桜井駅
磐余池
藤原宮
甘樫丘
香久山
畝傍山
軽
雷丘
大原
阿騎野
草壁皇子墓

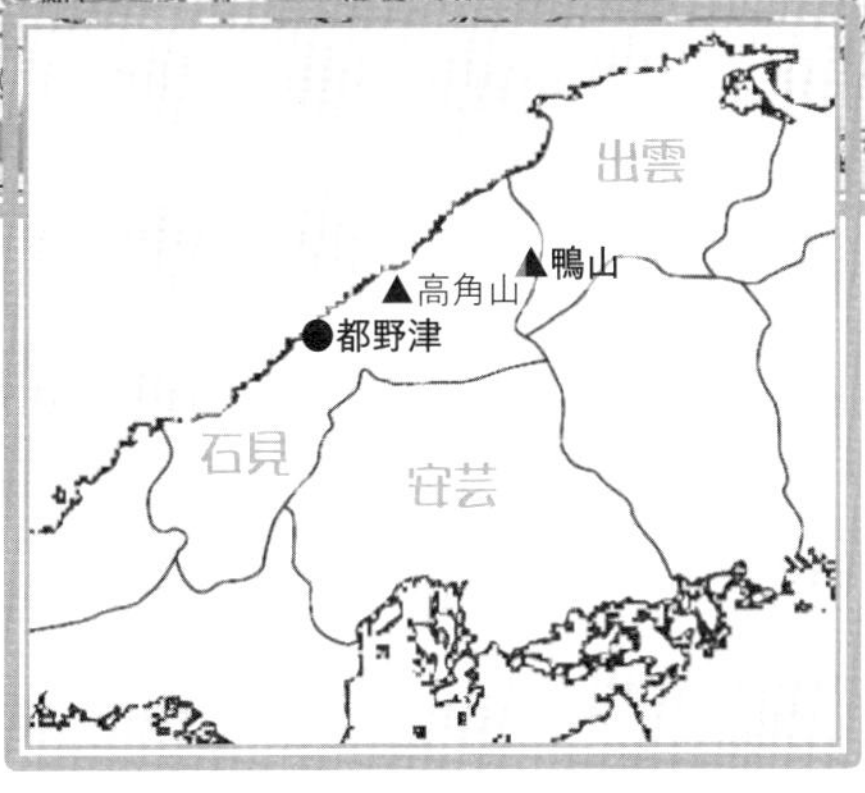
出雲
鴨山
高角山
都野津
石見
安芸

わしの里　大雪降った
お前居《お》る　そっちの田舎《いなか》　まだまだやろな

我が里に　大雪降れり
大原の　古《ふ》りにし里に（古ぼけた里に）　降らまくは後《のち》

―天武天皇《てんむてんのう》―（巻二・一〇三）

【和歌《うた》が詠《よ》まれた背景《はいけい》①】

・（おぅ雪だ、珍しい）
・飛鳥《あすか》の里に雪が降る
・滅多に積もることのない雪が積もる
・天武《てんむ》天皇は、ご機嫌であった
・（里帰りしている夫人《ぶにん》をからかってみるか）

【明日香村小原の小原神社にある歌碑】

そら違《ちゃ》うで　うちの神さん　お願いし
降らして貰《もろ》た　雪のカケラや

我が岡の　神《おかみ》様に言いて　降らしめし（降らさせた）
雪のくだけし　そこに散りけん
―藤原夫人《ふじわらのぶにん》―（巻二・一〇四）

【藤原夫人《ふじわらのぶにん》】（661？～720？）
・天武《てんむ》天皇の妻の一人（夫人《ぶにん》は、皇后・妃《きさき》に次ぐ地位）
・藤原鎌足《ふじわらのかまたり》の娘
・天武《てんむ》天皇が亡くなった後、異母兄《あに》の藤原不比等《ふじわらのふひと》の妻になる

【和歌《うた》が詠《よ》まれた背景《はいけい》②】
・（こんな少しの雪を大雪だなんて）
・一キロ位離れた宮殿と大原の里
・（これは　言い返さなくては）

【大原の里・手前の森は鎌足の母の大伴夫人の墓】

お前待ち　夜更けの露に　濡れて仕舞《も》た
お前待ってて　雫《しずく》に濡れた

あしひきの※（木の暗れの）　**山の雫《しずく》に　妹《いも》待つと**
我れ立ち濡れぬ　山の雫《しずく》に
―大津皇子《おおつのみこ》―（巻二・一〇七）

・あしひきの＝「山」に掛かる枕詞。山はその裾（脚）を長く引いているから

【大津皇子《おおつのみこ》】（663～686）
・天武《てんむ》天皇の第三皇子《おうじ》
・母は天智《てんち》天皇の娘の大田皇女《おおたのひめみこ》

【和歌《うた》が詠《よ》まれた背景《はいけい》①】

・（ええい、何をしている、いつも待たされる）

・大津皇子《おおつのみこ》は待っていた

・飛鳥《あすか》随一の美人である石川郎女《いしかわのいらつめ》を

・文化面でも武術の面でも優れていて、人々からも好かれている大津皇子《おおつのみこ》

・次の天皇の地位の争い相手である草壁皇子《くさかべのみこ》

・この皇子《みこ》は、大津皇子《おおつのみこ》の兄であり、石川郎女《いしかわのいらつめ》にも思いを寄せている

・果たして、二人の運命は・・・

【葛城市當麻にある「山の雫に」の歌碑】

うち待って　あんたが濡れた　山雫《やましずく》
成りと思うで　その山雫《やましずく》

我《わ》を待つと　君が濡れけん　あしひきの※（木の暗れの）
山の雫《しずく》に　成らましものを

—石川郎女《いしかわのいらつめ》—（巻二・一〇八）

【和歌《うた》が詠《よ》まれた背景《はいけい》②】

・（それがどうした、先刻承知）

・大津皇子《おおつのみこ》と石川郎女《いしかわのいらつめ》の密会は、やがて草壁皇子《くさかべのみこ》の母である鵜野讃良皇女《うののさららのひめみこ》（後の持統《じとう》天皇）の命令で監視していた津守《つもり》の通《とおる》の占いで見つかる

・それでも肝の座った大津皇子《おおつのみこ》は詠《うた》い返す

《見つかんの　知っとったんや　始めから
　知ってた上で　寝たんや二人》

大船《おおふね》の　津守の占《うら》に　告《の》らんとは
※（探ってる）**正《まさ》しに知りて　我が二人寝《ね》し**
―大津皇子《おおつのみこ》―（巻二・一〇九）

> ・大船の＝大船が着くのは「津」（＝港）
> なので、「津」に掛かる枕詞

【石川郎女《いしかわのいらつめ》】（666？〜736？）

・万葉集には石川郎女《いしかわのいらつめ》あるいは石川女郎《いしかわのいらつめ》という名で登場する

・男との間で、いろいろな和歌《うた》の遣《や》り取りがある

・近江《おうみ》に都《みやこ》があったころ久米禅師《くめのぜんじ》と

・文武《もんむ》天皇のころ大伴田主《おおとものたぬし》・大伴宿奈麻呂《おおとものすくなまろ》と

お前だけ　大和《やまと》帰して
夜明けまで　うち露濡れて　立ち尽くしてた

我が背子《せこ》を（我が弟のあなたを）　大和《やまと》へ遣《や》ると
さ夜更けて　暁露《あかときつゆ》に　我が立ち濡れし

―大伯皇女《おおくのひめみこ》―（巻二・一〇五）

・背子《せこ》＝女性が親しみを込めて、夫や兄・弟に呼びかける時に使う

【和歌《うた》が詠《よ》まれた背景《はいけい》①】

・（姉上、このままでは我れは・・・）
・草壁皇子《くさかべのみこ》は皇太子に
・政治を取り仕切るのは大津皇子《おおつのみこ》
・そんな最中《さなか》に天武《てんむ》天皇が亡くなる
・後を継《つ》ぐのは誰か
・「我が子の草壁皇子《くさかべのみこ》を」と願う鵜野讃良皇女《うののさららのひめみこ》の圧迫が大津皇子《おおつのみこ》に迫る
・大津皇子《みこ》は姉の大伯皇女《おおくのひめみこ》が斎宮《いつきのみや》を務めている男子禁制である伊勢神宮へと馬を走らせる
・何を話し、相談したのか二人は？
・一晩を語り尽くし、夜明け前に大津皇子《おおつのみこ》はそこを去り飛鳥《あすか》へ

【大伯皇女《おおくのひめみこ》】（661〜701）
・大津皇子《おおつのみこ》の姉
・天武《てんむ》天皇と大田皇女《おおたのひめみこ》との間に生まれた娘
・天武《てんむ》天皇の命令で、14歳で伊勢神宮の斎宮《いつきのみや》になり、大津皇子《おおつのみこ》が亡くなった後、役目を解《と》かれ飛鳥《あすか》に戻った
※斎宮《いつきのみや》＝伊勢神宮に奉仕をするため派遣された未婚の皇女《ひめみこ》

二人でも　越すん難儀な　秋山《やま》やのに
一人でお前　どう越すのんや

二人行けど　行き過ぎ難《かた》き　秋山を
如何《いか》にか（どういう具合に）**君が　独《ひと》り越ゆらん**（越えるのであろう）

―大伯皇女《おおくのひめみこ》―（巻二・一〇六）

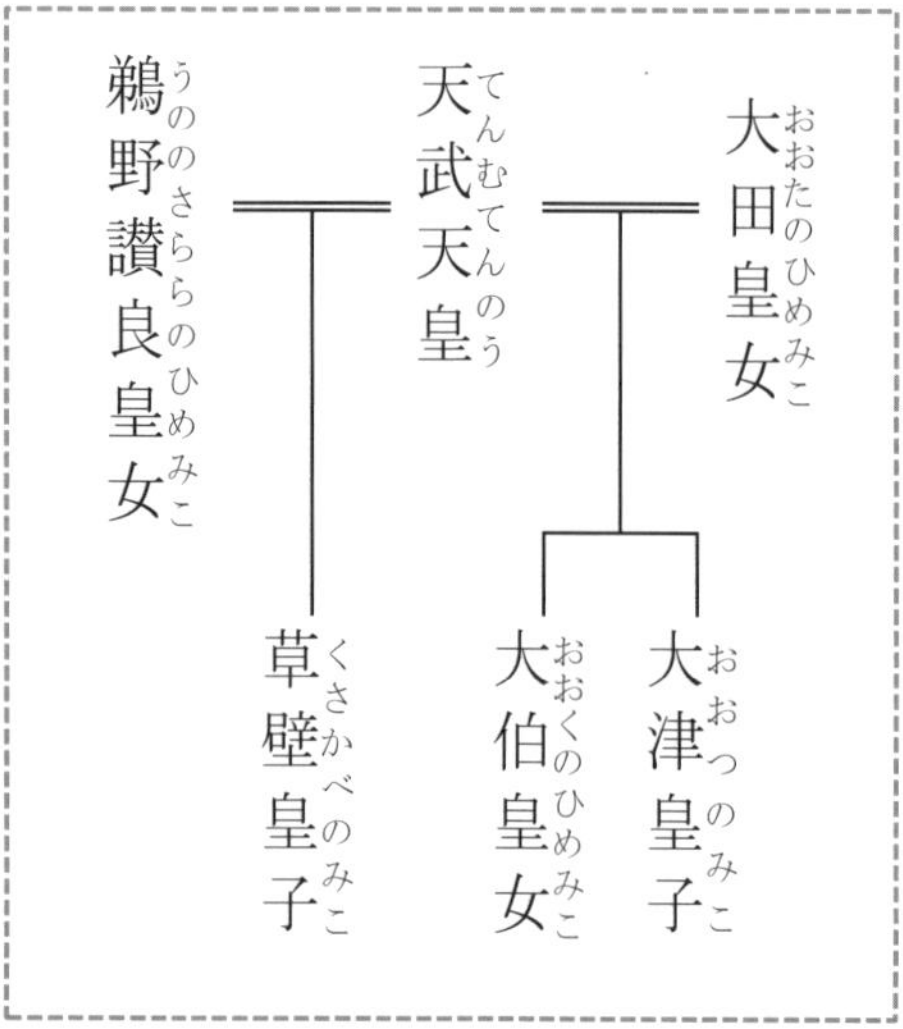

【伊勢神宮の神苑・見送ったのはこの辺りか？】

今日の日が　磐余《いわれ》の池《いけ》で　鳴く鴨を
見るん限りと　この世を去るか

百伝《ももづた》う※（知らぬげに）　磐余《いわれ》の池に　鳴く鴨を
今日のみ見てや　雲隠《がく》りなん
―大津皇子《おおつのみこ》―（巻三・四一六）

・百伝《ももづた》う＝数えて行くと百になるという意味で「五十《い》」（昔はこれを「イ」と読んだ）に掛かる枕詞

【和歌《うた》が詠《よ》まれた背景《はいけい》②】

・伊勢から戻った大津皇子《おおつのみこ》を待っていたのは、謀反《むほん》の疑い
・親友・川島皇子《かわしまのみこ》（天智《てんち》天皇の皇子《おうじ》）の密告であった
・謀反《むほん》とされたのが10月２日
・処刑はその翌日《あくるひ》
・水の上に輪を描《えが》く鴨を見て何を思ったのか大津皇子《おおつのみこ》
・この時、大津皇《み》子《こ》24歳

【磐余《いわれ》の池の跡とされる桜井市池之内の水田】

明日《あした》から　二上山《ふたかみやま》を　弟と
思《おも》ぅて暮らそ　この世でひとり

現世《うつそみ》の　人にある我れや　明日よりは
二上山《ふたかみやま》を　我弟《いろせ》と我が見ん
―大伯皇女《おおくのひめみこ》―（巻二・一六五）

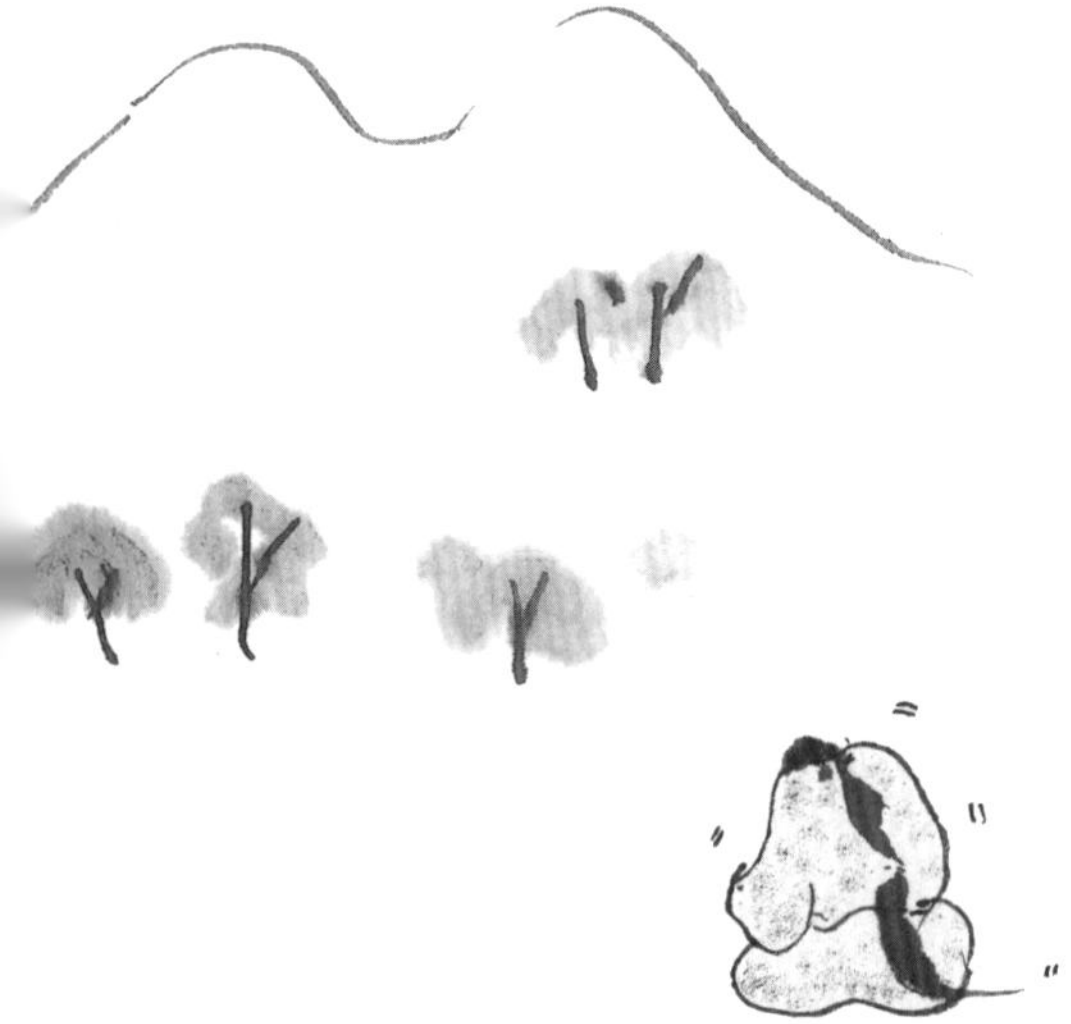

【和歌《うた》が詠《よ》まれた背景《はいけい》③】

・(あぁ弟よ、弟よ)

・斎宮《いつきのみや》の役目を解《と》かれた大伯皇女《おおくのひめみこ》

・飛鳥《あすか》に戻るが、誰もいない

・父も母も、そして弟も

・見上げる西空に、夕日に染まる二上山《ふたかみやま》

・そこは、大津皇子《おおつのみこ》の墓のある山

・山を見上げて、大伯皇女《おおくのひめみこ》は詠《うた》い掛ける

【夕暮れが迫り残光に浮かぶ二上山】

岸に咲く　馬酔木《あしび》花手折《たお》ろと　思ぅたが
見せるお前は　もう居らんのや

磯の上に　生《お》うる馬酔木《あしび》を　手折《たお》らめど
（手折ろうと思うが）
見すべき君が　在《あ》りと言わなくに
（生きているとは誰も言わない）
―大伯皇女《おおくのひめみこ》―　（巻二・一六六）

【飛鳥に咲く馬酔木の花】

【二上山山頂の大津皇子の墓】

【名張市夏見男山（夏見廃寺跡）の歌碑】

香久山に　白い衣《ころも》が　干《ほ》したぁる
あぁ春去《い》って　夏来《き》たんやな

春過ぎて　夏来《きた》るらし
白栲《しろたえ》の　衣《ころも》干《ほ》したり　天《あめ》の香《か》具山《ぐやま》
※（真っ白な）

―持統天皇《じとうてんのう》―（巻一・二八）

【飛鳥浄御原《きよみはら》宮址から見る香久山】

・白栲《しろたえ》の＝「衣」に掛かる枕詞。昔は栲《たえ》の木の白い繊維で衣服を作った
・天《あめ》の香久山＝天から降って来た山だと云われる

【和歌《うた》が詠《よ》まれた背景《はいけい》】
・皇后である鸕野讃良皇女《うののさららのひめみこ》は満足であった
・（競争相手の大津皇子《おおつのみこ》が亡くなり、これで次の天皇は草壁皇子《くさかべ》に決まったようなもの）
・（まだ若い草壁皇子《くさかべ》と共に我れが政治を行わなければ）
・吹き抜ける風が心地よい
・清々《すがすが》しい夏の訪れである

【持統天皇《じとうてんのう》】（645〜702）
・天智《てんち》天皇の娘
・草壁皇子《くさかべのみこ》の母
・大海人皇子《おおあまのみこ》（天武《てんむ》天皇）と吉野に逃げ、皇子《みこ》が天皇の位に着くことで皇后となる
・天皇の亡くなった後、草壁皇子《くさかべのみこ》が亡くなったため、自分が天皇（第41代）になり、都《みやこ》を藤原《ふじわら》の宮に移す
・その後、孫の文武《もんむ》天皇（第42代）に位を譲った
・作品は長歌２首、短歌４首

天皇《おおきみ》は　神さんやから
雲の上　雷《いかずち》丘《おか》に　住もぅてなさる

大君は　神にしませば
天雲《あまくも》の　雷《いかずち》の上に　廬《いお》らせるかも
―柿本人麻呂《かきのもとのひとまろ》―（巻三・二三五）

【飛鳥浄御原《きよみはら》址から見る雷丘《いかずちのおか》】

【和歌《うた》が詠《よ》まれた背景《はいけい》】

・（あぁ雷《かみなり》も、その前では膝《ひざ》まずくか）

・壬申《じんしん》の乱で勝った天武《てんむ》天皇が開いた天皇中心の政治

・天皇が亡くなった後、志《こころざし》を継《つ》いだ皇后の鸕野讃良皇女《うののさららのひめみこ》は、持統《じとう》天皇となる

・この時期に天皇に権力が集まった政治が確立し、「神」と敬《うやま》われるようになる

【柿本人麻呂《かきのもとのひとまろ》①】（*650*?～*709*?）

・万葉第二期の代表的歌人

・持統《じとう》天皇・文武《もんむ》天皇の時代に宮廷歌人（和歌《うた》を詠《うた》うことで朝廷に仕えた人）として活躍

・和歌《うた》は格調高く、深く心に沁みる響きを持つ

・石見《いわみ》の国（島根県）の山中で亡くなった

・古今《こきん》和歌集に「歌聖《かせい》」と書かれている

・作品は長歌20首、短歌71首がある

天地分かれた　その昔
遥か彼方《かなた》の　天《あま》河原
八百万や　千万の
神々多数《ようけ》　集まって
統治《おさ》めの国の　定めした

伊耶那岐命《いざなぎのみこと》＝伊耶那美命《いざなみのみこと》

天照大御神《あまてらすおおみかみ》—天之忍穂耳命《あめのおしほみみのみこと》—迩々芸命《ににぎのみこと》
月読命《つくよみのみこと》
須佐之男命《すさのおのみこと》

天地《あめつち》の　始《はじめ》の時
久方の※（仰ぎ見る）　天《あま》の河原《かわら》に
八百万《やおよろず》　千万神《ちよろずかみ》の
神集い　集い座《いま》して
神分《あが》ち　分《あが》ちし時に
（治める国を分け合った時）

天照《あまてらす》なる　女尊《おんなみこ》
天の国をば　お治めに
片や葦原　瑞穂《みずほ》国
そこの天地の　果てまでを
治め給えと　その孫《みこ》を
重なる天雲《あまぐも》　かき分けて
神となされて　降《くだ》らせた

天照《あまて》らす　日女《ひるめ》の（日の女神）　尊《みこと》
天《あめ》をば　統治《しらし》めすと
葦原《あしはら》の　瑞穂《みずほ》の国を
天地《あめつち》の　寄り合いの極《きわみ》
統治《しらし》めす　神の命《みこと》と（ニニギノミコトを）
天雲《ぐも》の　八重かき別けて
神下《くだ》し　座《いま》せまつりし

孫《みこ》の子孫《そのみこ》　天武帝
ここの飛鳥の　浄御原《きよみはら》
神々《こうごう》しくと　国造り
やがてに天皇《きみ》は　元に居た
天の岩の戸　開かれて
神となられて　身罷《みまか》りし

高照らす※（それの子孫の）　日の皇子は（天武天皇）
明日香《あすか》の　浄御《きよみ》の宮に
神《かん》ながら（神々しく）　国造《ふとしき》まして
天皇《すめろぎ》の　帰還《しき》ます国と
天の原　岩門《いわと》を開き
神上《かんあが》り（神となられ）　上《あが》り座《いま》しぬ（天へ昇られた）

・高照らす＝天高く照らす意味から「日」に掛かる枕詞

我れら崇《あが》める　その御子《おこ》が
治め給えば　この国は
春の花の様《よ》　貴《とうと》い世
満月の様《よ》な　欠けぬ世と
世の中皆《みな》が　待ち望み
今に来ること　期待して
心躍《おど》らせ　待ち居たに

我が　王《おおきみ》　皇子《みこ》の命《みこと》の
天《あめ》の下　統治《しらし》めしせば
春花《はるはな》の　貴《とうと》からんと
望月《もちづき》の　満《たたわ》しけんと
天《あめ》の下　四方《よも》の人の
大船《ふね》の※(今にもと)　思い頼《たの》みて
天《あま》つ水※(心から)　仰ぎて待つに

・大船の＝大きい船は頼りになる意味から「思い頼む」に掛かる枕詞
・天つ水＝日照りの時、天からの雨を仰いで待つ意味から「仰ぎて待つ」に掛かる枕詞

何をば思い　なされたか
縁無き里の　真弓岡《まゆみおか》
そこに御柱《みはしら》　お建てなり
御殿《みや》（殯〈もがり〉の宮）を高々　築かれて
朝のお言葉　賜らぬ
日月が多く　成り果てし
そんな訳にて　仕え居た
宮人《みやびと》途方に　暮れておる

如何《いか》さまに　思おしめせか
由縁《つれ》もなき　真弓《まゆみ》の岡に
宮柱　太敷き座《いま》し
御殿《みあらか》を　高造《し》りまして
朝ごとに　御言《みこと》問わさぬ
日月《ひつき》の　数多《まね》くなりぬる
そこ故《ゆえ》に
皇子《みこ》の宮人《みやびと》　行方《ゆくえ》知らずも

—柿本人麻呂《かきのもとのひとまろ》—（巻二・一六七）

【和歌《うた》が詠《よ》まれた背景《はいけい》】

・(何ということ、これまでの苦労は・・・)

・大津皇子《おおつのみこ》が亡くなって一年半の後

・持統天皇《じとう》(この時はまだ皇后)が次の天皇にと期待した草壁皇子《くさかべのみこ》が亡くなる

・おとなしくて気弱な草壁皇子《くさかべのみこ》に、天皇の地位は重荷であったのか

・皇后の嘆きを思い、柿本人麻呂は重々しく詠《うた》う

・殯《もがり》の宮＝貴人の本葬までの間、遺体を安置しておく仮の宮殿

【真弓の岡の南はずれにある草壁皇子の墓】

皇子《みこ》がいた　宮の池住む　放ち鳥
人恋しいと　水潜《もぐ》らへん

島の宮　勾《まがり》の池の（朝鮮式の三曲がりの池）　放《はな》ち鳥《どり》
人目に恋いて（人目を恋い慕って）　池に潜《かず》かず
―柿本人麻呂《かきのもとのひとまろ》―（巻二・一七〇）

【島の宮近くの飛鳥川・ここから勾《まがり》の池に水を引いたか?】

淀み水　今もあるのに　詮無《せんな》いで
昔の人に　逢うこと無《の》ぅて

楽浪《さざなみ》の※（変わらずと）　志賀の大淀入江水《おおわだ》（陸に食い込んだ入江の水）　淀《よど》むとも（淀んだままで今もあるが）
昔の人に　また逢《あ》わめやも（また会うことがあるだろうか）
—柿本人麻呂《かきのもとのひとまろ》—（巻一・三一）

・楽浪《さざなみ》の＝「志賀（滋賀）」の枕詞。琵琶湖の西の岸に、その昔「漣《さざなみ》」という集落があったのでその辺《あた》りを言うときに用いる。どうして楽浪を「さざなみ」と読むかは、はっきりとしない

【和歌《うた》が詠《よ》まれた背景《はいけい》】

・（敵方であったとは言え、我れの父なのだ）
・持統《じとう》天皇の御代が落ち着き安定したころ
・父である天智《てんち》天皇の供養のため、持統《じとう》天皇は近江《おうみ》（滋賀県）へと行幸《みゆき》をする
・青春時代をここで過ごした人麻呂は、昔にあった都《みやこ》を思って詠《うた》う

※行幸《みゆき》＝天皇が宮殿を出て、外に出掛けられること

【入り江に淀む水・琵琶湖西岸の唐崎にて】

おい千鳥　そんなに啼《な》きな
啼《な》く度《たんび》　往古《むかし》思えて　堪《たま》らんよって

淡海《おうみ》の海《うみ》　夕波千鳥《ゆうなみちどり》　汝《な》が鳴《な》けば
心も萎《しの》に（しなえて）　往古《いにしえ》思ほゆ
―柿本人麻呂《かきのもとのひとまろ》―（巻三・二六六）

【「夕波千鳥」の歌碑・大津市柳が崎】

この国治める　大君が
神さながらに　神らしく
流れ激しい　吉野川
そこに高殿《たかどの》　造られて
登り国見を　されたなら
青々繁り　連《つら》なれる
山の神さん　お祝いと
春には花を　咲かせはり
秋には黄葉《もみじ》　作りはる

やすみしし　我が大君
※（偉大なる）
神《かん》ながら　神《かん》さびせすと
吉野川　激《たぎ》つ河内《かわち》に
高殿《たかどの》を　造営《たかしり》まして
登り立ち　国見をせせば
畳《たた》わる　青垣山《あおかきやま》
（連なり立つ）
山神《やまつみ》の　奉《まつ》る御調《みつき》と
（差し上げ物）
春べは　花かざし持ち
秋立てば　黄葉《もみじ》かざせり

廻《めぐ》り流れる　川の神
差し上げ奉《まつ》る　御馳走《ごちそう》と
上流《かみ》で鵜飼を　楽しませ
下流《しも》で網取り　させなさる
こんな具合に　山や川
みんな仕える　神の御代かな

行《ゆ》き沿う　川の神も
大御食《おおみけ》に　仕《つか》え奉《まつ》ると
上《かみ》つ瀬に　鵜川《うかわ》を立ち（鵜飼をさせ）
下《しも》つ瀬に　小網《さで》さし渡す（すくい網）
山川も
依《よ》りて仕《つか》える　神の御代かも
—柿本人麻呂《かきのもとのひとまろ》—（巻一・三八）

【和歌《うた》が詠《よ》まれた背景《はいけい》】

・（我が世の春じゃ、この良き眺《なが》め）

・世の中が鎮《しず》まるのをみて、持統《じとう》天皇は昔を思っていた

・（近江《おうみ》を抜け出して吉野へと逃げたあの日）

・（夫・大海人皇子《おおあま》と越えた雪の峰）

・（降りかかる雨の氷の様な冷たさ）

・（あぁ吉野が恋しい、懐かしい）

・（そうじゃ離宮《りきゅう》じゃ、吉野に離宮《りきゅう》じゃ）

・出来上がった離宮《りきゅ》の高殿《たかどの》に登り立つ持統《じとう》天皇

・人麻呂は「ここぞ」と詠《うた》う

※離宮《りきゅう》＝皇居の外に作られる宮殿

【宮瀧の吉野川】

山川の　神も仕《つか》える
天皇《おおきみ》が
逆巻く川に　船出《だ》しなさる

山川も　依《よ》りて仕《つか》える
神《かん》ながら（神であられる天皇が）
激《たぎ》つ河内《かわち》に　船出《ふなで》せすかも
―柿本人麻呂《かきのもとのひとまろ》―（巻一・三九）

【宮瀧の激《たぎ》つ河内《かわち》（激しい流れ）】

阿騎野《あきの》まで　狩りに来《き》たのに
昔来た　草壁皇子《みこ》思い出し　皆《みな》寝《ね》られへん

阿騎《あき》の野《の》に　宿《やど》る旅人
うち靡《なび》き（皆々うち揃って）　眠《い》も寝《ぬ》らめやも（寝ても眠られないだろう）　往古《いにしえ》思うに

―柿本人麻呂《かきのもとのひとまろ》―　（巻一・四六）

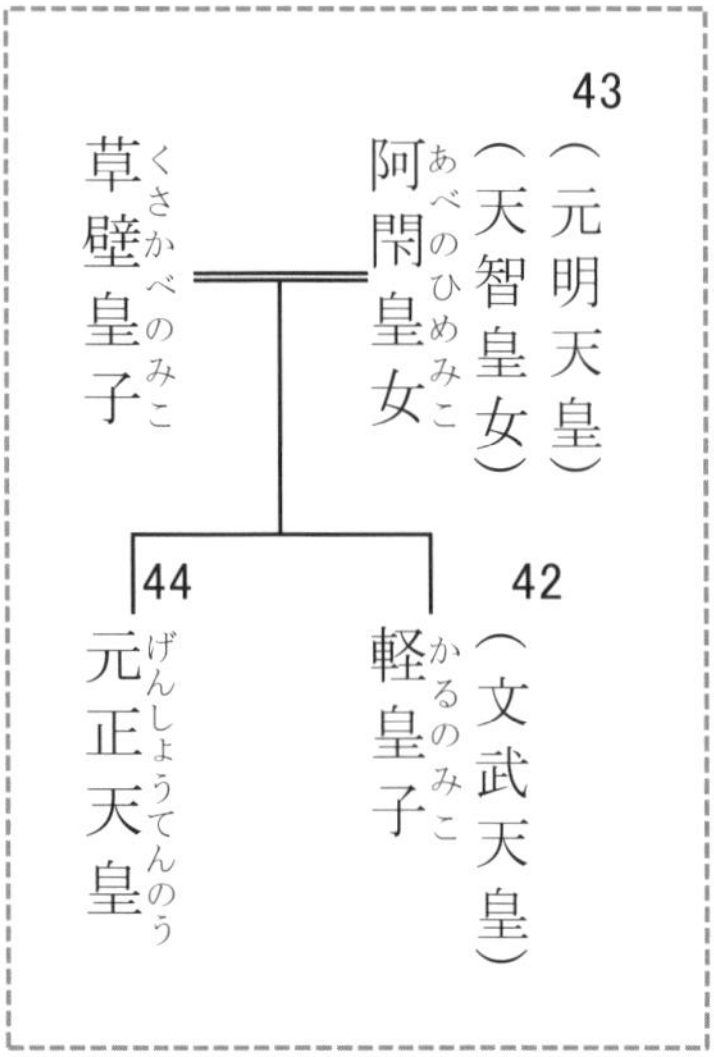

【和歌《うた》が詠《よ》まれた背景《はいけい》】

・（あぁ、皆《みんな》して思うは、草壁皇子《くさかべのみこ》）

・軽皇子《かるのみこ》（草壁皇子《くさかべのみこ》の皇子《おうじ》・後の文武《もんむ》天皇〈第42代〉）は10歳になられた

・人麻呂は旅のお供をする

・行き先は阿騎野《あきの》

・10年前は草壁皇子《くさかべのみこ》のお供であった

・人麻呂の詠《うた》う声は、悲しみを誘う

【かぎろひの丘から東を見る・歌碑は佐々木信綱の揮毫】

日ぃ昇る　月沈んでく
西空に　草壁皇子《みこ》の面影　浮かんで消える

東《ひんがし》の　野に炎《かぎろい》の（夜明けの日の光）　立つ見えて
返り見すれば　月傾《かたぶ》きぬ
―柿本人麻呂《かきのもとのひとまろ》―（巻一・四八）

【かぎろひの丘から東方の山々を見る】

この国治める　天皇《おおきみ》で
天神《てんかみ》さんの　御子さんが
清水《しみず》湧く原　藤原《ふじわら》に
大っきい御殿　造られて
埴安《はにやす》池の　堤上《つつみうえ》
立たれ見渡し　されたなら

やすみしし※(偉大なる)　我が大君
高照らす　日の御子《みこ》
荒栲《あらたえ》の※(この素晴らしい)　藤井が原に
大御門《おおみかど》　始め給《たま》いて
埴安《はにやす》の　堤の上に
あり立たし(登り立たれて)　見《め》し給えば

・荒栲《あらたえ》の＝荒栲《あらたえ》（織り目の粗《あら》い粗末な布）は主に藤の木の皮で作るので「藤」に掛かる枕詞

青々茂る　香久山は
東御門《ごもん》の　向こう側
春を盛りと　茂り立ち
瑞々《みずみず》し山　畝傍《うねび》山
西の御門《ごもん》の　その向こう
清らに聳《そび》え　鎮座《ちんざ》ます
青菅《あおすげ》茂る　耳成《みみなし》山は
北の御門《ごもん》の　すぐ後《うし》ろ
神々《こうごう》しくと　立ち聳《そび》え

大和《やまと》の　青香具山《かぐやま》は
日の経《たて》（東方向の）の　大き御門《みかど》に
春山と　茂《し》みさび立てり（こんもりと茂り立っている）
畝傍《うねび》の　この瑞山《みずやま》（瑞々しい山）は
日の緯《よこ》（西方向の）の　大き御門《みかど》に
瑞山《みずやま》（有難い山として）と　山さびいます（いかにも山らしくある）
耳成《みみなし》の　青菅山《すがやま》（青く茂った清々しい山）は
北面《そとも》の　大き御門《みかど》に
宜《よろ》しなえ（いかにも具合よく）　神《かん》さび立てり（神々しく立っている）

名前良《え》え山　吉野山
南御門《ごもん》の　遥《はる》か向《む》こ
雲の彼方《かなた》に　連《つら》なりて
高《たこ》ぅ聳《そび》える　この御殿《ごてん》
広ぅ統治《おさ》める　この宮殿《みや》に
溢《あふ》れ流れる　ここの水
永久《とこしえ》続け　湧くま清水《しみず》よ

名美《ぐわ》し（名の美しい）　吉野の山は
南面《かげとも》の　大き御門《みかど》ゆ
雲居《くもい》にぞ（雲の遥かに）　遠くありける
高知《たかし》るや（高く聳える）　天《あめ》の御殿《みかげ》（天子の立派な御殿）
天知《あめし》るや（広く治める）　日の御殿《みかげ》の（天の神の素晴らしい宮殿に）
水こそは（この湧く水は）　永遠《とこしえ》にあらめ（あり続けるだろう）
御井《みい》のま清水

―作者不明―（巻一・五二）

【和歌《うた》が詠《よ》まれた背景《はいけい》①】

・(念願の新しい都《みやこ》じゃ)
・埴安池《はにやすのいけ》の堤の上
・そこに立つのは持統《じとう》天皇
・多くの建物が見え、
甍《いらか》の波が照り輝いている
・麗《うるわ》しい大和三山《やまとさんざん》を三方《さんぽう》に見て、
南には遥か吉野の峰々
・手狭《てぜま》となった飛鳥浄御原《あすかきよみはら》から
ここ藤原《ふじわら》の宮への都《みやこ》移り
・天武《てんむ》天皇の願いでもあった

【北方から見た耳成山】

【藤原の宮跡から見る畝傍山】

【藤原の宮跡から見る香久山】

藤原の　宮仕《みやづか》えにと　生《う》まれ来た
娘子《おとめ》ら皆《みんな》　羨《うらや》ましいで

藤原の　大宮仕え　生《あ》れ付《つ》くや
娘子《おとめ》がどもは　羨《とも》しき（羨ましい限りだ）ろかも
―作者不明―（巻一・五三）

【和歌《うた》が詠《よ》まれた背景《はいけい》②】

・こんこんと湧き出る清水を汲むのは、若い采女《うねめ》の仕事である

・入れ替わり立ち代わり集い来る若き采女《うねめ》

・この宮よ永遠に続け　この湧き水のように

【今は水田跡が広がる藤原の宮・ま清水はどの辺りか?】

采女《うねめ》袖　吹き返してた　風寂し
遠《とお》になったな　明日香《あすか》の都《みやこ》

采女《うねめ》の　袖吹き　返す　明日香風《あすかかぜ》
（宮廷に召された容姿端麗な娘）
都《みやこ》を遠み　徒《いたず》らに吹く
―志貴皇子《しきのみこ》―（巻一・五一）

【志貴皇子《しきのみこ》】（666？～716）
・天智天皇《てんちてんのう》の第七皇子《おうじ》
・この皇子《みこ》の子の白壁王《しらかべおう》が、後に光仁天皇《こうにんてんのう》になる
・作品は、短歌６首、

【和歌《うた》が詠《よ》まれた背景《はいけい》】

・（あぁ、あれほど賑《にぎ》わっていたのに・・・）
・新しく出来た、藤原《ふじわら》の宮
・きらびやかな新しい都《みやこ》
・行き交う采女《うねめ》らの嬉々とした姿
・（そう、ここもそうであった）
・志貴皇子《しきのみこ》は立っていた
・飛鳥浄御原《あすかきよみはら》の宮跡《みやあと》に
・秋草に埋《う》もれる、むき出しの石葺《いしぶ》き
・壮大な宮殿を作っていた木材や礎石
・皆々、新宮《しんみや》造りにと持ち去られ
・風だけが、昔変わらずと吹き抜けて行く

【甘樫丘にある「明日香風」の歌碑】

鴨の背に　霜降《お》りてるで　寒むそうや
しみじみ大和《やまと》　恋しいこっちゃ

葦辺行く　鴨の羽交《はが》い（左右の羽の重なる辺り）に　霜降《ふ》りて
寒き夕《ゆうべ》は　大和《やまと》し思おゆ
―志貴皇子《しきのみこ》―（巻一・六四）

【和歌《うた》が詠《よ》まれた背景《はいけい》】

・（和歌《うた》が我が友、我が生き甲斐《がい》か）

・天智《てんち》天皇の皇子《おうじ》として生まれ

・天武《てんむ》天皇・持統《じとう》天皇の世を生き抜いた
志貴皇子《しきのみこ》

・出世は望まず、目立たぬ様に世を過ごす

・ただただ和歌《うた》修行に励み、優れた和歌《うた》を
残した

・その皇子《みこ》の胸の中はどうであっただろう
か

蕨《わらび》の芽《め》　渓流《ながれ》の水の　岩陰で
見たで見つけた　春や　春来た

石走る《いわばし》（岩にぶつかり激しく流れる）　急流《たるみ》　の上の　さわらびの
萌《も》え出《い》ずる春に　なりにけるかも

―志貴皇子《しきのみこ》―（巻八・一四一八）

【横浜市西区伊勢山皇大神宮「石走る」の歌碑】

弓持つ武人《ますらお》　矢ぁ番《つが》え
向かい立つ的《まと》　名に持った
高円山《たかまどやま》の　裾廻《めぐ》る
春野焼く様《よ》に　燃えるんは
何の火ぃかと　尋ねたら
道来る人の　出す涙
小雨降る様《よ》で　着てる衣《ふく》
ぐしょ濡れままで　立ち止まり
わしに向こぅて　言《ゆ》うことに

梓弓《あずさゆみ》　手に取り持ちて
（梓〈木の名前〉の木で作った弓）
大夫《ますらお》の　猟矢《さつや》手挟《たばさ》み
（たくましい男が）（狩猟に使う矢）
立ち向かう　高円山《たかまどやま》に
※（ここ迄が次に掛かる序詞）
春野焼く　野火《のび》と見るまで
燃ゆる火を　如何《いか》にと問えば
玉桙《たまほこ》の　道来る人の
※（むこうから）
泣く涙　小雨に降れば
白拷《しろたえ》の　衣《ころも》　漬《ひず》ちて
※（身に着けた）（ぐっしょり濡れて）
立ち止まり　我れに語らく

何《なん》で尋《き》くんや　そんなこと
聞いたら尚更《よけえ》　泣けるがな
言《ゆ》うとこの胸　痛《いと》ぅなる
天皇《おおきみ》さんの　御子《みこ》さんが
あの世旅立つ　送り火や
こんな無数《いっぱい》　光るんは

・玉鉾《たまほこ》の＝「道」に掛かる枕詞。玉鉾《たまぼこ》は立派な鉾《ほこ》で男性の象徴を表し、道に魔除けとしてその石が立っていた

何しかも（何ゆえに）　**もとな問《とぶら》う**（甲斐ないことをお聞きなる）
聞けば（聞かれれば）　**哭《ね》のみし泣かゆ**（泣けて泣けて仕方がない）
語れば　心ぞ痛き
天皇《すめろき》の　神の御子《みこ》の
出《いで》ましの（この世旅立つ）　**手火《たび》の光ぞ**
ここだ照りたる（数多く照っているのは）

―笠金村《かさのかなむら》歌集―（巻二・二三〇）

【和歌《うた》が詠《よ》まれた背景《はいけい》】
・志貴皇子《しきのみこ》が亡くなったのは、平城《なら》へ都《みやこ》が移った６年後である
・天智《てんち》天皇の皇子《おうじ》として、持統《じとう》・文武《もんむ》・元明《げんめい》・元正《げんしょう》と天武《てんむ》天皇の流れが続く中を生き抜いた
・さらに、聖武《しょうむ》・孝謙《こうけん》・淳仁《じゅんにん》・称徳《しょうとく》と天武《てんむ》の流れが続き
・平安時代へと繋《つな》がる光仁《こうにん》天皇が後を継《つ》ぐ
・この方こそ、志貴皇子《しきのみこ》のお子であり、天智《てんち》天皇の流れの復活である

【志貴皇子が眠る田原西陵への参道】

【笠金村《かさのかなむら》】（690？～740？）
・万葉第三期の宮廷歌人ではあるが、武人として仕えていたともみえる
・長歌11首、短歌34首
※第三期の人ではあるが、ここでは志貴皇子《しきのみこ》の挽歌《ばんか》としての和歌《うた》を掲げた
※笠金村《かさのかなむら》歌集は、当人が作った和歌《うた》を集めたもの

見る人が　居《お》らんて云《ゆ》うに
高円山《たかまど》の
萩よ虚《むな》しに　咲き散っとるか

高円山《たかまど》の　野辺の秋萩
徒《いたず》らに
咲きか散るらん（咲いては散っているだろうか）　見る人無しに（見る人がいないままで）
―笠金村《かさのかなむら》歌集―（巻二・二三一）

【白毫寺《びゃくごうじ》境内にある「咲きか散るらん」の歌碑】

なにやかや　五月蠅《うるそ》ぅ言われ　辛《つら》いけど
あんたに寄りたい　稲穂《いなほ》みたいに

秋の田の　穂向《ほむ》きに寄れる（穂が風の方向に寄る様に）　**片寄《かたよ》りに**（一方に寄って）
君に寄りなな（寄り添いたいものだ）　**言痛《こちた》くありとも**（たとえ非難されても）
―但馬皇女《たじまのひめみこ》―（巻二・一一四）

【但馬皇女《たじまのひめみこ》】（675～708）
・天武《てんむ》天皇の娘
・天武《てんむ》天皇の第一皇子《おうじ》の高市皇子《たけちのみこ》の妃《きさき》であったが、穂積皇子《ほづみのみこ》を恋い慕った

【和歌《うた》が詠《よ》まれた背景《はいけい》①】

・（ええい、悔しい、何をする）
・但馬皇女《たじまのひめみこ》の恋のお相手は穂積皇子《ほづみのみこ》
・高市皇子《たけちのみこ》の異母弟《おとうと》である
・高市皇子《たけちのみこ》は苛立《いらだ》っていた
・幼いころから親代わりを務め、妻にした異母妹《いもうと》の但馬皇女《たじまのひめみこ》
・その但馬皇女《たじまのひめみこ》が、許されることのない恋に走る
・（少し離してみるか）
・穂積皇子《ほづみのみこ》に志賀《しが》の山寺行きが命じられる
・さてどうする但馬皇女《たじまのひめみこ》

【崇福寺（志賀の山寺）址の礎石・大津市滋賀里町甲】

残されて　泣いてるよりか　追《お》ぅて行く
通る道々（追っ手止める）標縄《しめ》張れあんた

後《おく》れ居《い》て（後に残されて）　恋ひつつあらずは（恋焦がれているよりは）
追《お》い及《し》かん（追いかけて付いてゆく）
道の隈回《くまみ》に　標結《しめゆ》え我《わ》が背《せ》
—但馬皇女《たじまのひめみこ》—（巻二・一一五）

あんまりに　多干渉《やかま》しよって
心決め　越えたことない　恋の瀬越える

人言《ひとごと》を　繁《しげ》み言痛《こちた》み（ひどく非難されるので）
己《おの》が世に
いまだ渡らぬ　朝川渡る
―但馬皇女《たじまのひめみこ》―（巻二・一一六）

雪そない　降ったりないな　猪養岡《いかいおか》
あの人の墓　寒がるよって

降る雪は　多《あわ》には降りそ（多くは降ってくれるな）
吉隠《よなばり》の　猪養《いかい》の岡の（但馬皇女の墓所が）　**寒からまくに**（寒いであろうから）

―穂積皇子《ほづみのみこ》―　（巻二・二〇三）

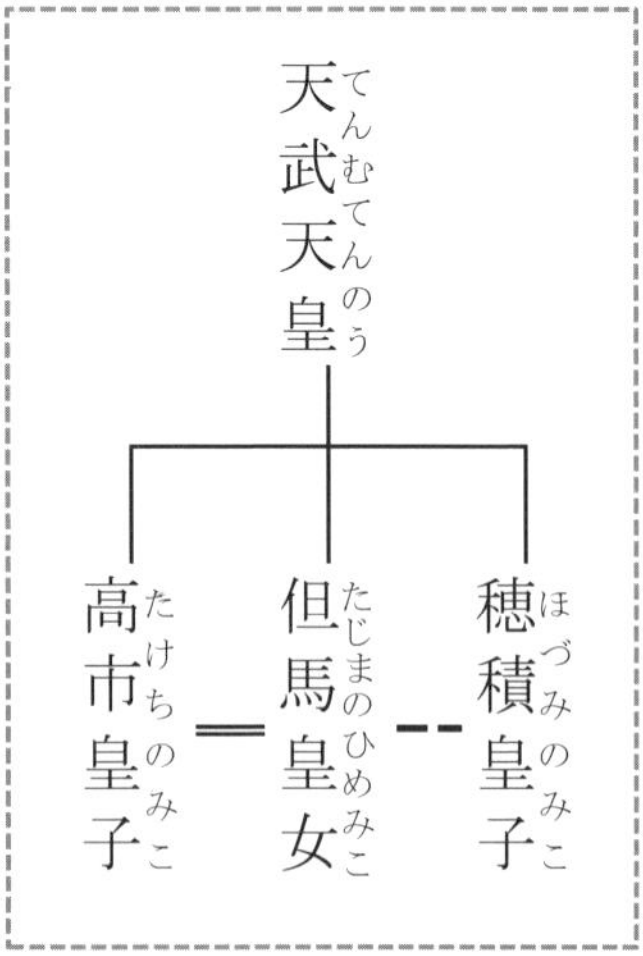

【和歌《うた》が詠《よ》まれた背景《はいけい》②】

・（あぁ、我れに少し勇気があったならば）
・実らなかった恋から13年が経《た》った秋
・穂積皇子《ほづみのみこ》に死亡の知らせ
・但馬皇女《たじまのひめみこ》が亡くなったのだ
・（今更、くやみにも行けないか）
・その冬、飛鳥《あすか》は大雪
・吹き荒れる雪を眺めながら、
穂積皇子《ほづみのみこ》は遥《はる》か東の空を眺める

【「吉隠《よなばり》」への登り道・桜井市吉隠】

山筋の　川瀬鳴ってる　やっぱりな
弓月《ゆつき》が嶽《たけ》に　雨雲《あめぐも》出てる

あしひきの　山川の瀬の　鳴るなべに（鳴るにつれて）
弓月《ゆつき》が嶽《たけ》に　雲立ち渡る
※（ざわざわと）

―柿本人麻呂歌集《かきのもとのひとまろかしゅう》―（巻七・一〇八八）

【柿本人麻呂《かきのもとのひとまろ》②】（650？〜709？）
・人麻呂には少なくとも4人の妻がいたか？
・最初の妻は巻向《まきむく》あたりに住んでいた
※柿本人麻呂歌集＝柿本人麻呂の和歌《うた》も含むが、それだけでなく、人麻呂の歌集団の和歌《うた》が集められている歌集で、歌数は全部で370首を数える

【和歌《うた》が詠《よ》まれた背景《はいけい》①】

・（急がなければ、雨に会ってしまう・・・・）

・柿本人麻呂《かきのもとのひとまろ》は馬を急がせていた

・巻向郎女《まきむくのいらつめ》（仮称）がいる許《もと》へ

【弓月が嶽と巻向川】

夜更《よるふ》けた　川の水音　高《た》こなった
今に一荒《ひとあ》れ　直《じき》来るみたい

ぬばたまの※（しんしんと）　夜さり来れば（夜が訪れ来た頃に）
巻向《まきむく》の　川音《かわと》高しも（高く聞こえる）　嵐かも疾《と》き（嵐が早いかも知れない）
―柿本人麻呂《かきのもとのひとまろ》歌集―（巻七・一一〇一）

・ぬばたまの＝「ぬばたま」は
ヒオウギという植物の
実で、色が黒いので「夜」
に掛かる枕詞

【和歌《うた》が詠《よ》まれた背景《はいけい》②】

・雨に会わずにたどり着けた巻向郎女《まきむくのいらつめ》の家

・二人の静かな夜に、激しくなる水音が聞こえている

【穴師《あなし》の里の巻向川】

引手山《ひきて》　お前葬《まつ》って　降りてきた
ひとり生きてく　気ィならんがな

衾道《ふすまじ》を　引手の山に　妹を置きて
山路《やまじ》を行けば　生けりともなし（生きている気がしない）
—柿本人麻呂《かきのもとのひとまろ》—（巻二・二一二）

・衾道《ふすまじ》＝衾田陵《ふすまだ》（継体天皇の皇后に当たる手白香皇女《たじからのひめみこ》の陵墓）に続く道

【和歌《うた》が詠《よ》まれた背景《はいけい》③】

・短かった巻向郎女《まきむくのいらつめ》との暮らし
・妻を亡くした人麻呂は嘆く

【山の辺の道にある「衾道の」歌碑】

【引手の山（竜王山）】

浜木綿《はまゆう》の　葉ぁ幾重《いっぱい》に　茂ってる
思いも相《そ》やが　よぅ逢い行かん

み熊野の　浦の浜木綿《はまゆう》　百重《ももえ》なす
（幾重にも重なっている　そのように）
心は思《も》えど　直《ただ》に逢わぬかも
―柿本人麻呂《かきのもとのひとまろ》―（巻四・四九六）

【和歌《うた》が詠《よ》まれた背景《はいけい》】
・人麻呂に新たな恋が芽生える
・それは軽娘子《かるのおとめ》か？

【孔島《くしま》の浜木綿・新宮市三輪崎】

【孔島《くしま》にある「浦の浜木綿」の歌碑】

心が躍《おど》る　軽《かる》の地は
あの児住んでる　里なんや
逢いたい気持ち　溢《あふ》れるが
始終《しょっちゅう》行ったら　人目付く
通《かよ》い過ぎたら　噂《うわさ》立つ

天飛《あま》ぶや※（胸はずむ）　軽《かる》の地は
我妹子《わぎもこ》が（我れの愛しいあの子の）　里　にしあれば
懇《ねも》ろに（通いに通い）　見まく欲《ほ》しけど（会いたく思うが）
止《や》まず行かば　人目を多み（人目が多く）
数多《まね》く行かば　人知りぬべみ（人に知られてしまう）

・天飛ぶや＝空を飛ぶので「雁」に掛かる枕詞で、音の似た「軽」にも掛かる

仕方《しょう》ない　後で逢えるかと
儚《はかな》い思い　抱きながら
じっと籠《こ》もって　日ぃ送り
恋しさ我慢　してたのに

※さ根葛《かずら》（仕方ない）　後《のち》も逢わんと（後でも会えると）
※大船の（何となく）　思い頼みて（期待をして）
※玉かぎる（我慢して）　岩垣淵《いわがきふち》の（岩の囲まれた淵のように）
隠《こも》りのみ（じっと籠もって）　恋いつつあるに（恋い慕っていたが）

・さ根葛《かずら》＝蔓《つる》が分かれていって先でまた会うので「後も逢わんと」に掛かる枕詞

・玉かぎる＝玉が仄《ほの》かに光る意味で、暗くて薄ぼんやりとした「岩垣淵」に掛かる枕詞

明《あか》る照る日が　暮れる様《よ》に
月が雲間に　隠《かく》る様《よ》に
わしを慕《しと》てた　あのお前
黄葉《もみじ》の葉っぱ　散るみたい
逝《い》って仕舞《しも》たと　言う知らせ

渡る日の　暮《く》れ行くが如
照る月の　雲隠《かく》る如
沖つ藻の※（寄り添って）　**靡きし妹は**（寝ていたあの子は）
黄葉《もみじば》の（黄葉散る様に）　**過ぎて去《い》にきと**（死んでしまったと）
玉梓《たまずさ》の※（やってきた）　**使《つかい》の言えば**

・沖つ藻の＝沖の藻が波に靡くので
　「靡き」に掛かる枕詞
・玉梓《たまずさ》の＝立派な杖《つえ》で、使者がその
　目印に梓《あずさ》の杖《つえ》を持っていた
　ことから「使《つかい》」に掛かる枕詞

話聞いたが　どう言《ゆ》たら
良《え》ぇか分らん　為《し》も出来ん
聞いてじっとは　為《し》とれんで
萎《な》えた気持ちが　一寸《ちょっと》でも
治《おさ》まることも　あるかなと
お前のいつも　行っとった
軽の市《いち》行き　探したが

※梓弓《あずさゆみ》（不意打ちに）　報《おと》に聞きて（知らせを聞いて）
言《い》わん術《すべ》　為《せ》ん術《すべ》知らに（分からず）
報《おと》のみを（その知らせだけ）　聞きてあり得ねば（聞いたままでは居れなくて）
我が恋うる　千重の一重も（ほん少しでも）
慰もる　心もありやと
我妹子《わぎもこ》が　止《や》まず出で見し（いつも行っていた）
軽の市《いち》に　我が立ち聞けば（この耳澄ますが）

・梓弓《あずさゆみ》＝弓で矢を射ると音が出るので「おと」に掛かる枕詞

畝傍《うねび》の山で　鳴く鳥の
声もあの子の　声も為《せ》ん
道を人多数《よけ》　通るのに
あの子の姿　見えはせん
どぅ仕様《しょ》も無《の》ぅて　名ァ呼んで
魂《たましい》　呼ぼと　袖振ったんや

玉襷《たまだすき》 ※（全く以って）
畝傍《うねび》の山に
鳴く鳥の　声も　聞こえず（ここ迄の三句　次への序詞）
玉桙《たまほこ》の ※（大勢の）　道行く人も
一人だに（一人として）　似てし行かねば（似た人も通らないので）
術《すべ》を無《な》み（止むに止まれず）　妹が名喚《よ》びて
袖《そで》ぞ振りつる

―柿本人麻呂《かきのもとのひとまろ》―（巻二・二〇七）

・玉襷《たまだすき》＝立派な襷《たすき》で項《うなじ》（＝首）に掛ける。うなじ≒「うねび」なので「畝傍《うねび》」に掛かる枕詞

【和歌《うた》が詠《よ》まれた背景《はいけい》】

・二番目の妻か？　軽郎女《かるのいらつめ》

・巻向郎女《まきむくのいらつめ》の喪明けてすぐの恋は、人目をはばかるものであったか

・気を遣《つか》い、会いたい心を堪《こら》えていた人麻呂に、またまた嘆きが待っていた

【橿原市にある軽寺址（現法輪寺）の森】

賑《にぎ》やかな　藻を刈る敏馬《みぬめ》　後にして
草ぼうぼうや　野島の岬

玉藻刈る　敏馬《みぬめ》を過ぎて
夏草の　野島の崎に　舟近付《づ》きぬ
―柿本人麻呂《かきのもとのひとまろ》―　（巻三・二五〇）

・敏馬《みぬめ》＝神戸市灘区の海岸あたり
・野島の崎＝淡路島北端の岬

【和歌《うた》が詠《よ》まれた背景《はいけい》①】

・（なぜ、わしが石見《いわみ》になどへ）

・宮廷歌人の人麻呂が船で行く

・行き先は石見《いわみ》の国（島根県）

・（とんと和歌《うた》詠《よ》みのお召もなく、石見《いわみ》の役人などとなって）

・悔やむ心を抱《いだ》く人麻呂を乗せた船は、西へと進む

【敏馬を過ぎた須磨海岸・前に見えるのは淡路島】

もう今日に　明石海峡　越えるんで
大和《やまと》さらばや　家さえ見んと

灯火《ともしび》の　明石大門《おおと》に　入《い》らん日や
※（明々と）
漕ぎ別れなん　家の辺《あた》り見ず
（見ないまま）

―柿本人麻呂《かきのもとのひとまろ》―（巻三・二五四）

・灯火《ともしび》の＝灯火は明るいので、「明石」に掛かる枕詞

【和歌《うた》が詠《よ》まれた背景《はいけい》②】

・この狭い明石大門《あかしおおと》を過ぎれば

・大和《やまと》は見えなくなる

・家の辺《あた》りも見えなくなる・・・

【明石海峡の落日・須磨浦展望台より】

無事でねと　お前結んだ　この紐を
野島の風が　吹き返しよる

淡路の　野島の崎の　浜風に
妹《いも》が結びし　紐吹き返す
―柿本人麻呂《かきのもとのひとまろ》―（巻三・二五一）

【和歌《うた》が詠《よ》まれた背景《はいけい》③】

・「無事でね」とのこの紐

・浜風が吹き返す

・妻の嘆きが風に乗ってこの紐を揺らすのか

【淡路島の野島海岸】

石見《いわみ》の国の　都野《つの》の浦
皆良《みんなえ》ぇ浜　無《な》い言よる
誰も干潟が　無《な》い言よる
構《かま》へん良《え》ぇで　浜無《の》ても
構《かま》うもんかい　干潟無《の》て

石見《いわみ》の海　角《つの》の浦廻《うらみ》を
浦無《な》しと　人こそ見らめ（人は見るだろう）
潟無《かたな》しと　人こそ見らめ
よしえやし（まぁ良いか）　浦は無くとも
よしえやし　潟は無くとも

せやがこの海　岸向こて
和田津《にきたづ》浜の　荒磯《いそ》の上
青い玉藻や　沖の藻を
朝は吹く風　寄せ来るし
夕は立つ波　寄せるんや
波と一緒に　揺れ寄せる
玉藻みたいに　寄り寝てた
お前を置いて　来たのんで

鯨魚《いさな》取り　海辺を指《さ》して
※（とは言えど）
和田津《にきたづ》の　荒磯《ありそ》の上に
か青なる　玉藻沖つ藻
朝羽振《はふ》る　風こそ寄せめ
夕羽振《はふ》る　波こそ来寄れ
波の共《むた》　斯《か》寄り斯《か》く寄り
玉藻なす　寄り寝し妹《いも》を
露霜《つゆじも》の　置きてし来《く》れば
※（可哀想にも）

・鯨魚《いさな》取り＝鯨を取るので「海」に掛かる枕詞
・露霜の＝露や霜は置くので「置き」に掛かる枕詞

辿る道々　その角《かど》で
見返《かえ》り振り向き　来たけども
お前居《お》る里　遠《とお》なるし
山高《たこ》なって　隔《へだ》たるし
胸の潰《つぶ》れる　思いして
偲んどるやろ　お前処《とこ》
わし見たいんや
山飛んで仕舞《ま》え

この道の　八十隈《やそくま》毎に
万度《よろずたび》　返り見すれど
いや遠《とお》に　里は離《さか》りぬ（増々遠く）
いや高に　山も越え来ぬ（遥かに高い）
夏草の　思い萎《しな》えて　※（胸詰まり）
偲ぶらん　妹《いも》が門《かど》見ん（偲んでいるだろう）
靡けこの山

―柿本人麻呂《かきのもとのひとまろ》―（巻二・一三一）

・夏草の≒夏草は萎《しお》れるので「思い萎《しな》えて」に掛かる枕詞

【和歌《うた》が詠《よ》まれた背景《はいけい》】

・（あぁ、見えなくなる、住み慣れたあの里

あぁ、見えなくなる、家の辺《あた》り

せめて、見せてくれ、あの児の姿）

・荒れ寂しい石見《いわみ》の浜を歩く人麻呂

・役目の報告での大和《やまと》への旅だ

・旅には困難が伴う

・悪くすれば命を落とすことすらある

・やっと慣れた石見《いわみ》での暮らし

・妻・依羅娘子《よさみのおとめ》を置いての旅立ちである

・波間に寄せる靡《なび》き藻に、娘子《おとめ》の姿が重なる

【荒れ果て寂し気な都野津《つのつ》真島の海岸】

恋しいて
高角山《たかつの》の　木《き》の間《あいだ》
振るこの袖を　見てるかお前

笹の葉が　ざわざわ鳴るが
気にならん
別れ来た児で　胸一杯《あふれ》てて

石見《いわみ》のや
高角山《たかつのやま》の　木《こ》の間《ま》より
我が振る袖を　妹見つらんか
—柿本人麻呂《かきのもとのひとまろ》—　（巻二・一三二）

笹《ささ》の葉は
み山もさやに　乱《さや》げども
我れは妹《いも》思う　別れ来《き》ぬれば
—柿本人麻呂《かきのもとのひとまろ》—　（巻二・一三三）

【江津市都野津町にある「高角山の」の歌碑】

【和木真島から見る島星山（高角山？）】

鴨山《かもやま》で　岩を枕に　死ぬのんか
何も知らんと　お前が待つに

鴨山《かもやま》の　岩根し枕《ま》ける　我れをかも（我れなのに）
知らにと（知らずに）妹《いも》が　待ちつつ居《あ》るらん

―柿本人麻呂《かきのもとのひとまろ》―（巻二・二二三）

【和歌《うた》が詠《よ》まれた背景《はいけい》】

・（思いよ届け、依羅娘子《よさみのおとめ》に・・・）

・石見《いわみ》へと戻りの道を急ぐ人麻呂

・老いた身に旅の疲れが重なったか

・石見《いわみ》との国境《くにざかい》の山の奥

・ついに、人麻呂は病《や》み伏す

・癒《いや》し休む宿はなく、

岩を枕に臥《ふ》せる人麻呂

【島根県美郷町の湯抱温泉近くの鴨山】

この古い　都《みやこ》見てたら　泣けてくる
古い時代の　自分《ひと》違《ちゃ》うのんに

古《いにしえ》の　人に我れ在《あ》れや
（人であるのだろうかこの我れは）
楽浪《さざなみ》の　旧《ふる》き京《みやこ》を　見れば悲しき
※（荒れ果てた）

―高市黒人《たけちのくろひと》―（巻一・三二）

【高市黒人《たけちのくろひと》】（660？〜710？）
・持統《じとう》天皇・文武《もんむ》天皇時代の宮廷歌人
・旅先での寂しさや不安を詠《よ》んだ和歌《うた》が多い
・和歌《うた》は短歌のみ18首

【和歌《うた》が詠《よ》まれた背景《はいけい》】

・（何と寂しい眺《なが》めだ、我れの心と同じに）

・持統《じとう》天皇に付き従った大津の宮址《みやあと》への行幸《みゆき》

・人麻呂が昔の都《みやこ》を思って詠《うた》うのに対し、

黒人《くろひと》は「我れ」と詠《うた》い、自分の心を見ている

【崇福寺址から望む大津京址（中央の茂みの下辺り）】

あの小舟　どこで泊まりを　するんやろ
さっき安礼崎《あれさき》　行ったあの舟

何処《いずく》にか　船泊《ふなは》てすらん　安礼《あれ》の崎
漕ぎ廻《た》み行きし　棚無《たなな》し小舟《おぶね》

―高市黒人《たけちのくろひと》―（巻一・五八）

【和歌《うた》が詠《よ》まれた背景《はいけい》】

・（小舟が行く、頼りなく、消えて行く・・・）

・文武《もんむ》天皇に位を譲り、今は上皇《じょうこう》となった持統太上天皇《じとうだじょうてんのう》に付き従っての三河《みかわ》（愛知県東部）への行幸《みゆき》

・行幸《みゆき》のことも、天皇のことも詠《うた》わず、寂しそうな景色と共に、ひとり我が心を詠《うた》う

※太上天皇《だじょうてんのう》＝位を譲られた天皇の呼び名。省略して「上皇《じょうこう》」という

【三河湾に注ぐ音羽川河口＝安礼の崎】

なんと無《の》に　物恋しさの　旅やのに
丹塗《あか》り船が　沖通ってく

旅にして　物恋しきに
山下の　赤《あけ》の丹塗《そほ》船　沖へ漕ぐ見ゆ
―高市黒人《たけちのくろひと》―　（巻三・二七〇）

・丹塗《そほ》船＝朱色に塗った船。公務に使う船

年魚市潟《あゆちがた》　潮引いたんや
桜田へ　鶴鳴きながら　飛んで行くがな

桜田へ　鶴《たづ》鳴き渡る　年魚市潟《あゆちがた》
潮干《ひ》にけらし（潮が干いたようだ）　鶴《たづ》鳴き渡る

—高市黒人《たけちのくろひと》—　（巻三・二七一）

・年魚干潟《あゆちがた》＝名古屋市熱田《あつた》区から緑区のかけての海岸

第四章　第二期の和歌《うた》

【この時代の主な出来事】

・律令《りつりょう》の制度（国の法律の制度）が整い、天皇中心の国が確立する

・いろいろな個性を持った歌人が現れ、盛んに和歌《うた》が詠《よ》まれる

・大伴旅人《おおとものたびと》を中心として、筑紫《つくし》で多くの和歌《うた》が作られる（筑紫歌壇）

・力を持っていた藤原氏の四兄弟が天然痘で亡くなる

【和歌《うた》を詠《うた》った主な人】

大伴旅人《おおとものたびと》、山上憶良《やまのうえのおくら》、山部赤人《やまべのあかひと》、笠金村《かさのかなむら》

高橋蟲麻呂《たかはしのむしまろ》、大伴坂上郎女《おおとものさかのうえのいらつめ》

区分	都	天皇	西暦	年号	年	月	事柄
第三期	平城京	元明	710年	和銅	3年	3月	平城京遷都
			712年	和銅	5年	1月	「古事記」献上
			713年	和銅	6年	5月	「風土記」編纂の命
		元正	715年	霊亀	1年	9月	元正即位
			718年	養老	2年		養老律令撰進
						5月	「日本書紀」撰進
		聖武	724年	神亀	1年	2月	聖武即位
			726年	神亀	3年		憶良、筑前守
			727年	神亀	4年	12月	旅人、大宰府へ？
			728年	神亀	5年	5月	旅人妻亡
			729年	神亀	6年	2月	長屋王自殺（46）
			730年	天平	2年	1月	梅花宴
						12月	旅人帰京、旅人没（67）
			736年	天平	8年	11月	葛城王→橘諸兄
			737年	天平	9年		天然痘流行、藤原四兄弟死去

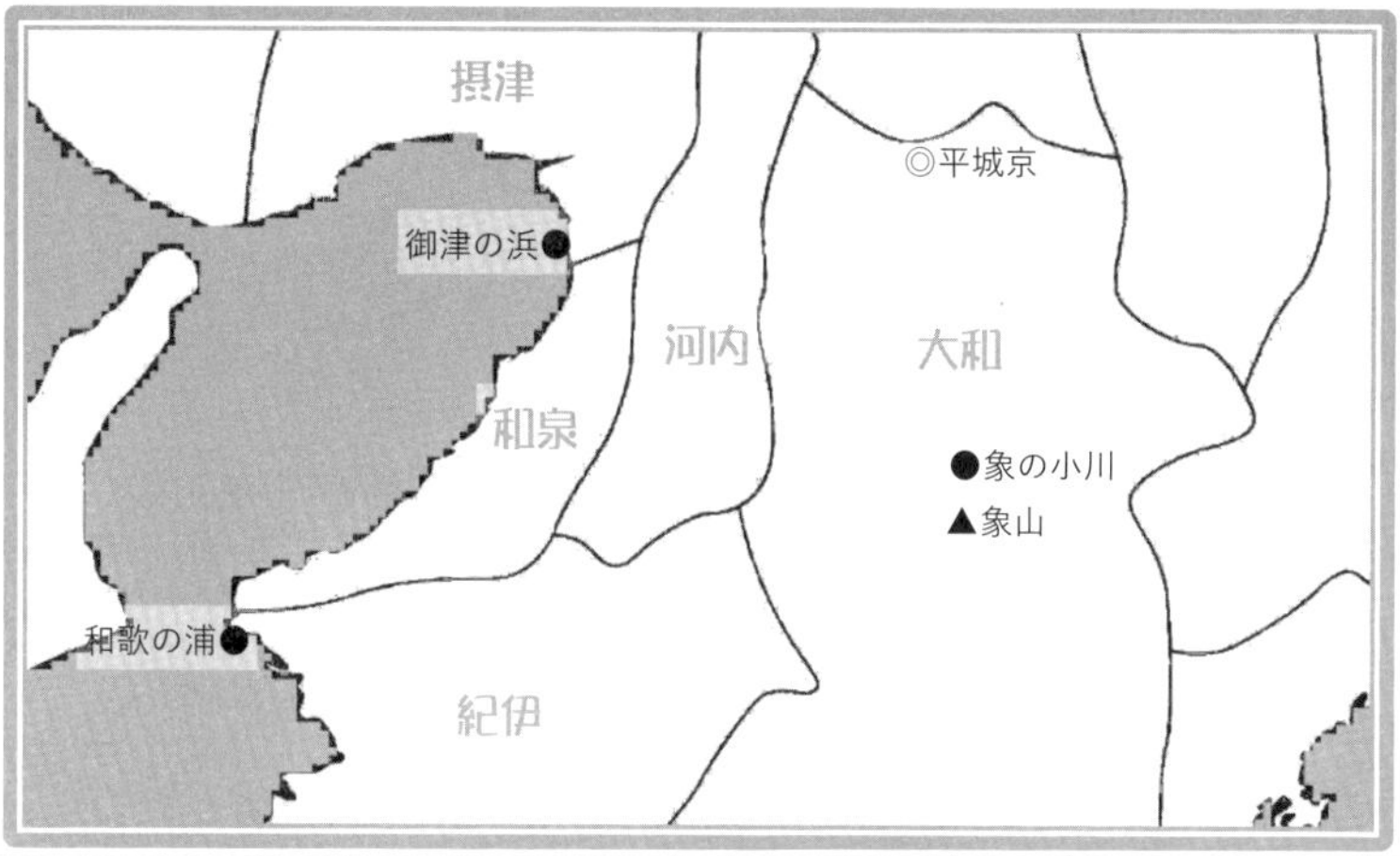
摂津
◎平城京
御津の浜●
河内
大和
和泉
●象の小川
▲象山
和歌の浦●
紀伊

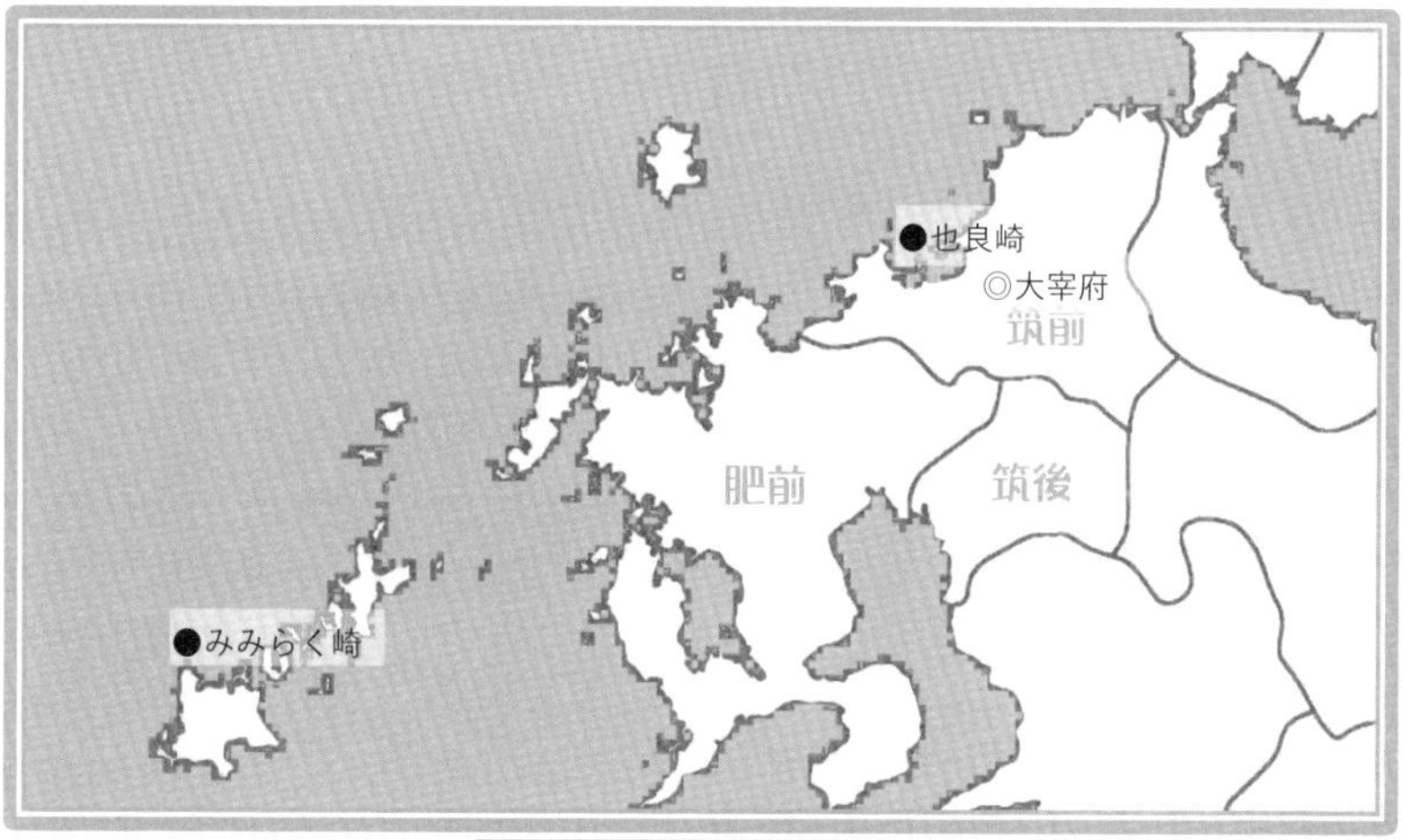
●也良崎
◎大宰府
筑前
肥前
筑後
●みみらく崎

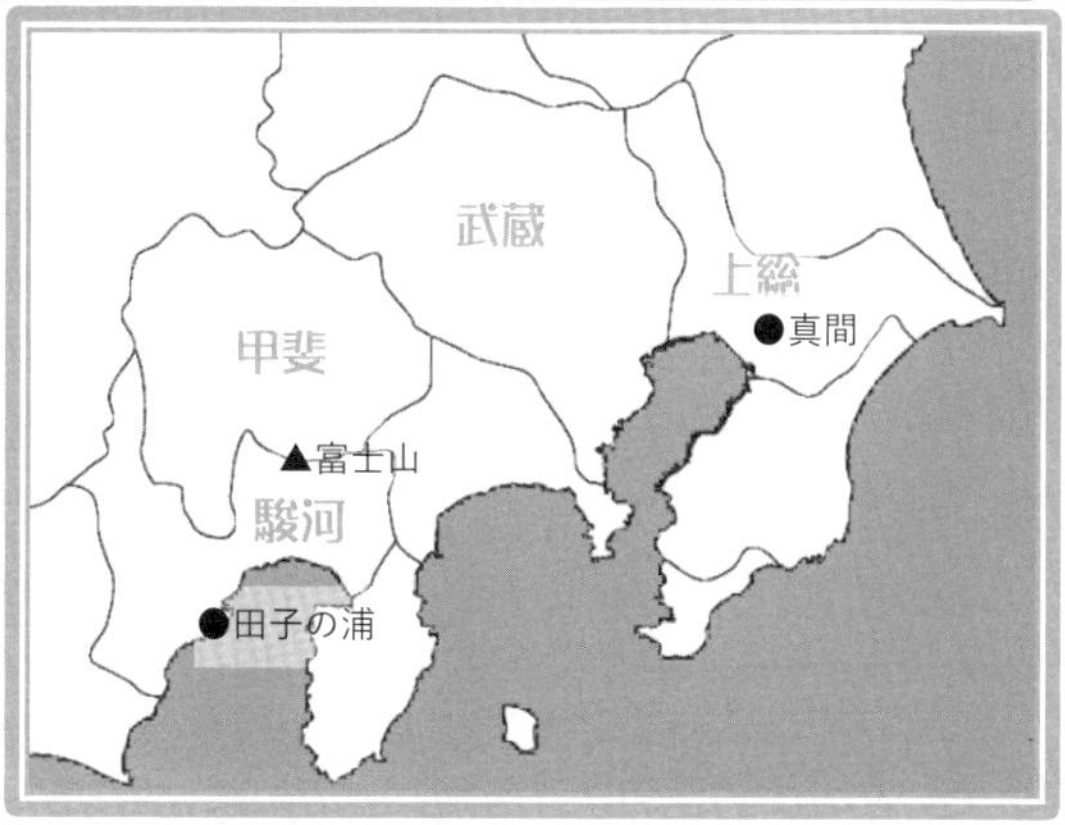
武蔵
上総
●真間
甲斐
▲富士山
駿河
●田子の浦

今見たら　前よりずっと　良《よ》ぅなった
象《きさ》の清流《ながれ》の　清々《すがすが》しさよ

昔見し　象《きさ》の小川を　今見れば
いよよ清《さや》けく（増々清かに）　成りにけるかも
―大伴旅人《おおとものたびと》―（巻三・三一六）

【大伴旅人《おおとものたびと》】（665～731）
・万葉第三期の歌人
・63歳の時大宰府《だざいふ》の長官になり、山上憶良《やまのうえのおくら》らと一緒に筑紫歌壇の中心になる
・長歌1首、短歌75首がある
※筑紫歌壇＝大伴旅人《おおとものたびと》が大宰府《だざいふ》にいた時の和歌《うた》を詠《うた》うのを楽しんだグループ

【和歌《うた》が詠《よ》まれた背景《はいけい》】

・(大きな役目をもらったが、気は重いわい)

・大伴旅人《おおとものたびと》は筑紫《つくし》(九州)へ向かう船の上にいた

・大宰府《だざいふ》の帥《そち》(長官)としての任務である

・すでに60歳を越し、老齢での筑紫《つくし》行きは、妻大伴郎女《おおとものいらつめ》を連れてはいるが気が重い

・(果たして生きて大和《やまと》へ戻れるのであろうか)

・あの首皇子《おびとのみこ》(後の聖武《しょうむ》天皇)に従って行った吉野が思い出される

・あの象《きさ》の小川の流れが・・・

・象《きさ》の小川=吉野山から吉野川の宮瀧まで下る喜佐谷《きさだに》に沿う小流

【今も万葉時代と変わらず清い流れの象《きさ》の小川】

賑《にぎ》やかな　奈良《なら》の京《みやこ》は　色映《は》えて
花咲くみたい　今真っ盛り

青丹《あおに》よし※（賑わえる）　奈良の京《みやこ》は
咲く花の　映《にお》う（美しく映えるみたいに）がごとく　今盛りなり
—小野老《おののおゆ》—（巻三・三二八）

【小野老《おののおゆ》】（699？〜737）
・万葉第三期の歌人
・筑紫歌壇のひとり
・短歌３首がある

【和歌《うた》が詠《よ》まれた背景《はいけい》①】

・（おいおい、着いたばかりだぞ）

・大伴旅人《おおとものたびと》が大宰府《だざいふ》の帥《そち》に着いた翌年《あくるとし》の春

・都《みやこ》から小野老《おののおゆ》が少弐《しょうに》（次官）として来る

・早速、催《もよお》される歓迎の宴《うたげ》

・来て間なしにも拘《かか》わらず、早くも（都《みやこ》が恋しい）と詠《うた》う小野老《おののおゆ》

【大宰府庁址にある「青丹よし」の歌碑】

憶良《おくら》めは　もう帰ります
子ぉ泣くし　女房《よめ》もこのわし　待ってますんで

憶良《おくら》らは（私憶良は「ら」は謙遜）　今は罷《まか》らん（帰ります）
子泣くらん（子は泣いてるでしょう）
そのかの母も（その子の）　我を待つらんぞ

―山上憶良《やまのうえのおくら》―　（巻三・三三七）

【和歌《うた》が詠《よ》まれた背景《はいけい》②】

・（おいおい、宴《えん》たけなわに、何をする）

・小野老《おののおゆ》の歓迎の宴《うたげ》に参加するものの、他の人々が楽しく過ごしてる最中《さなか》、早々と帰ろうとする山上憶良《やまのうえのおくら》

【山上憶良《やまのうえのおくら》】（660〜733）

・万葉第三期の歌人

・42歳の時、遣唐使《けんとうし》の一員として中国に渡る

・戻った後、聖武《しょうむ》天皇の教育係を務める

・67歳で筑前《ちくぜん》（福岡県）の守《かみ》（長官）になり、大伴旅人《おおとものたびと》と筑紫歌壇の中心となる

・長歌11首、短歌65首、旋頭歌1首がある

【嘉麻市稲築町鴨生（鴨生公園）にある歌碑】

仕様《しょう》もない　考えせんと
一杯の　どぶろく酒を　飲む方《ほ》が良《え》ぇで

験《しるし》無き（する甲斐のない）　物を思わずは（思うよりは）
一坏《ひとつき》の　濁《にご》れる酒を　飲むべくあるらし

—大伴旅人《おおとものたびと》—（巻三・三三八）

【和歌《うた》が詠《よ》まれた背景《はいけい》】

・（おい、大伴郎女《いらつめ》よ、もう一杯）

・酒が旅人《たびと》を酔わせるのか

・旅人《たびと》が酒に溺《おぼ》れるのか

・あの物事に拘《こだ》わらない明るい性格の旅人《たびと》が、酒に酔いしれる

・（大宰府《だざいふ》の帥《そち》に着いたのは左遷《させん》なのか）

・（着任の後《あと》、すぐに起こった『長屋王《ながやおう》の変』）

・（親しくしていた我れに対する仕打ちか）

・（壬申《じんしん》の乱で手柄を立てたのは、大伴一族ぞ）

・（その昔、天孫降臨《てんそんこうりん》の折、先導を務めたのも我が祖先と言うぞ）

・思い廻らす旅人《たびと》を、またも酒が誘う

【長屋王《ながやおう》の変】（神亀６年２月）

・長屋王《ながやおう》は高市皇子《たけちのみこ》の子

・聖武《しょうむ》天皇の下《もと》で左大臣を務める

・当時、天皇中心の政治を進めようとする長屋王《ながやおう》と、貴族が政治を取り仕切ろうとする藤原氏が対立

・聖武《しょうむ》天皇が位について四年目、妃《きさき》の藤原光明子《こうみょうし》との間に男子が誕生するが、翌年亡くなる

・その一年後、「あれは長屋王《ながやおう》が祈り殺したのだ、謀反《むほん》の疑いがある」という訴え

・自宅を藤原氏の兵に囲まれた長屋王《ながやおう》は、妻や子と共に自害

酒壺に　成って仕《し》舞《も》ぅて　酒に染《し》も
鳴かず飛ばずの　人生よりか

なかなかに（なまじっか）　人と在《あ》らずは（人間として生きて居ずに）
酒壺《つぼ》に　成りにてしかも（なりたいものだ）　酒に染《し》みなん
―大伴旅人《おおとものたびと》―（巻三・三四三）

人の世は　空《から》っぽなんや　知らされた
思てたよりか　ずうっと悲し

世の中は　空《むな》しきものと　知る時し（知った時こそ）
いよよ増々（さらに一層）　悲しかりけり
―大伴旅人《おおとものたびと》―（巻五・七九三）

【歌が詠《よ》まれた背景《はいけい》】
・（何ということだ、妻が、妻が・・・）
・小野老《おののおゆ》の歓迎の宴《うたげ》の翌月《あくるつき》
・一緒に大宰府《だざいふ》へ来た妻・大伴郎女《おおとものいらつめ》が亡くなる
・山上憶良《やまのうえのおくら》・都《みやこ》からのくやみの使者《つかい》
・それでも癒《いや》されきれず、悲しみに沈む旅人《たびと》

梅花《うめはな》の宴《うたげ》　まえがき
今日は　天平二年での
ほんに正月　十三日
帥《そち》の旅人《たびと》の　屋敷にて
皆が集まり　宴会を

梅花《ばいか》の宴《えん》　序
この日　天平二年での
正に　正月十三日《じゅうさ》
帥《そち》の翁《おきな》の　邸宅《やしき》にて
皆が集いて　宴《うたげ》為《せ》り

丁度初春《しょしゅん》の　良い月で
空気は澄んで　風静か
梅は鏡を　見る美女の
白粉《おしろい》みたい　白く咲き
香り漂う　良き匂い
匂い袋に　付く香り

折しも初春《しょしゅん》　令月《れいげつ》（良い月）で
その気は澄みて　風和《やわ》ら
梅　鏡前《きょうぜん》の　美女装《よそ》う
白粉《おしろい》かとに　白く咲き
その薫りくる　佳《よ》き匂い
飾り袋の　残り香《が》か

それに加えて　またさらに
夜明けの峰に　雲動き
薄絹雲《うすぎぬくも》が　掛かる松
まるで天蓋《てんかさ》　掛けた様《よう》
夕べ山洞《やまほら》（山のくぼみ）　霧が湧き
鳥その霧に　囲まれて
林の中で　迷ってる

それに加えて　またさらに
明け方峰に　雲動き
薄絹雲《うすぎぬくも》の　掛かる松
蓋《かさ》　傾《かたぶ》けし　如くにて
夕べ山洞《やまほら》　霧が湧き
鳥薄霧《うすぎり》に　封じられ
林の中で　飛び惑《まど》う

生まれた蝶が　庭に舞い
去年来た雁　帰る空
天を蓋《かさ》にし　地を座敷
膝を交《まじ》えて　酒呑《の》めば
皆々議論　忘れてに
雲や霞に　気さえ晴れ
自然と心　打ち解けて
良い気分なり　満足す

庭に新《あたら》し　蝶が舞い
空には帰る　去年《こぞ》の雁
ここに天蓋《かさ》　地をば敷き
膝突合せ　盃を酌《く》む
一同《みなみな》論ず　忘れ去り
雲や霞に　胸襟《えり》開き
淡々心　遊ぶまま
快《かい》を覚えて　満足《みちたり》し

あぁこの気持ち　文章で
書かずに済ます　こと出来ぬ
漢詩に散梅《うめ》の　歌がある
今も昔と　変わらぬぞ
さぁこの梅を　題材に
和歌《うた》を詠《よ》もぅぞ　皆して

あゝ文筆《ふみふで》に　拠《よ》らずして
如何《いか》でか心　述べつらん
漢詩《し》に散る梅花《うめ》の　作あるに
何ぞ異《こと》なる　古今《むかしいま》
さぁこの園梅《うめ》を　題として
暫し詠《よ》もうぞ　和歌《やまとうた》

【和歌《うた》が詠《よ》まれた背景《はいけい》】

・妻の死に打ちひしがれる旅人《たびと》
・旅人《たびと》の異母妹《いもうと》の坂上郎女《さかのうえのいらつめ》も平城《なら》から
駆《か》けつける
・大宰府《だざいふ》へ連れて来た息子の家持《やかもち》もいる
・やっと気を取り戻した旅人《たびと》
・妻の亡くなった一年半後の正月、
都《みやこ》から来ている国司らの高官を集め、
梅の花を和歌《うた》に詠《よ》む宴《うたげ》が催《もよう》される
（さぁさ、皆《みんな》で、楽しく和歌《うた》を）

【大宰府の梅・大宰府庁横の観世音寺の北にて】

春来たら　最初《さき》咲く梅花《はな》を
独りして　見て春日《いちにち》を　暮らすんかいな

春来《さ》れば（来たならば）　**まず咲く**（真っ先に咲く）**やどの**（この家の）　**梅の花**
独《ひと》り見つつや（一人見ながら）　**春日《はるひ》暮さん**（暮らすのであろうか）

―筑前守山上大夫《つくしのみちのくちのかみやまのうえのまえつきみ》―（巻五・八一八）

・「独り見つつや」は、「憶良が自分一人で見ながら」か、それとも「今は妻を亡くした旅人」を意識して詠《うた》ったのか？

【筑前守山上大夫《つくしのみちのくちのかみやまのうえのまえつきみ》】
・山上憶良《やまのうえのおくら》のこと

【嘉麻市稲築町鴨生（鴨生公園）にある歌碑】

梅花と　柳一緒に　髪挿《さ》して
飲んで酔ぅたら　散っても良《え》ぇで

青柳　梅との花を　折り插頭《かざ》し
飲みての後《のち》は　散りぬとも良し
―笠沙弥《かさのさみ》―（巻五・八二一）

【笠沙弥《かさのさみ》】（674?〜735?）
・沙弥満誓《さみまんせい》のこと
・筑紫歌壇のひとり
・大宰府庁《だざいふちょう》の隣の観世音寺《かんぜおんじ》の建設を進める別当《べっとう》（長官）になった

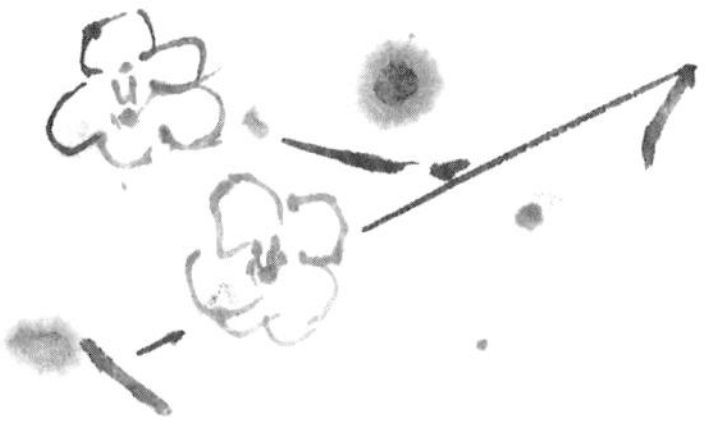

【観世音寺・本堂】

梅の花　空に舞う様《よ》に　散って来る
天から雪が　降り来《き》よるんか

わが園に　梅の花散る
久方の※　天《あめ》より雪の　流れ来るかも
（遥かなる）
―主人《あるじ》―　（巻五・八二二）

【主人《あるじ》】
・大伴旅人《おおとものたびと》のこと

【大宰府庁の址・うしろは大野山】

【都府楼《とふろう》（大宰府の唐風の言い方）址の石柱】

京離《きょうはな》れ　ここの田舎に　五年居《お》り
都風情《みやこふぜえ》を　忘れて仕舞《しも》た

天離《あまざか》る※（遠く来た）　鄙《ひな》に五年《いつとせ》　住いつつ
都の風俗《てぶり》　忘らえにけり（忘れてしまった）

—山上憶良《やまのうえのおくら》—（巻五・八八〇）

【和歌《うた》が詠《よ》まれた背景《はいけい》】

・（あぁ、我れも戻りたや）

・（旅人《たびと》がいなくなる）

・大伴旅人《おおとものたびと》は、大納言になり都《みやこ》へ戻る

・別れの宴会《うたげ》を終えて

家に戻って詠《うた》う山上憶良《やまのうえのおくら》

・（我は、後、何年ここに居るのか・・・）

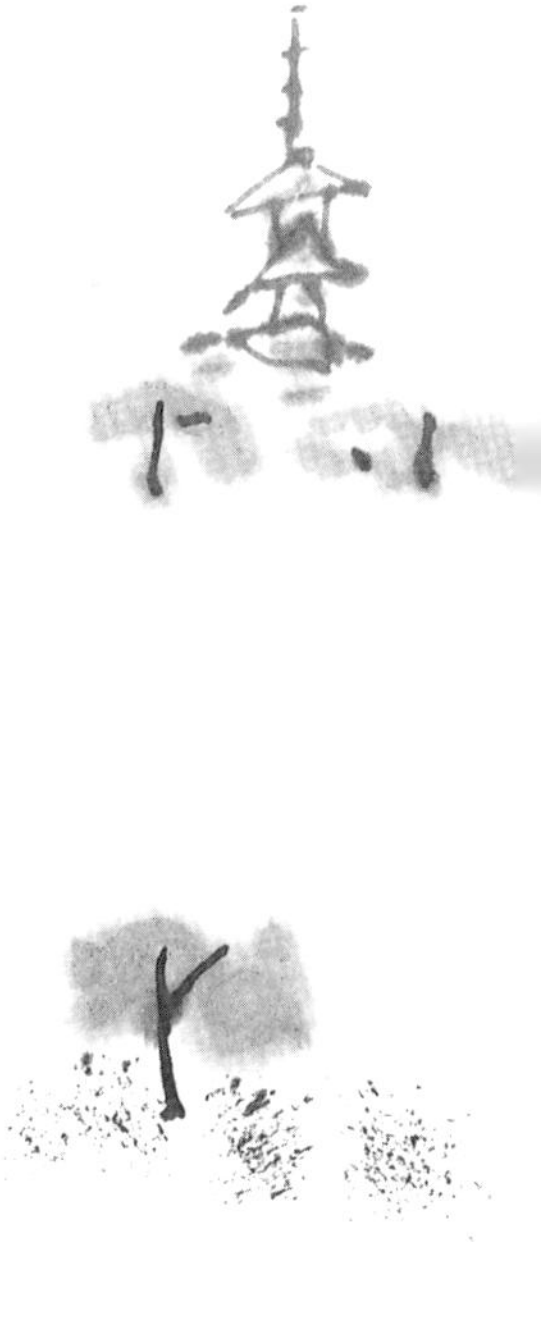

【大宰府址の礎石】

荒雄《あらお》はん　助け求めて　袖振るで
君命違《くんめいちゃ》うに　男気《おとこぎ》出して

大君の　遣《つか》わさなくに
賢《さか》しらに（自分から）　行きし荒雄ら（出かけた荒雄は「ら」は親愛）　沖に（沖で）袖振る

―山上憶良《やまのうえのおくら》―（巻十六・三八六〇）

【和歌《うた》が詠《よ》まれた背景《はいけい》】

・(憶良《おくら》どの、大変でございます)
・筑前《ちくぜん》(福岡県)の守《かみ》(長官)の山上憶良《やまのうえのおくら》に知らせが届く
・志賀《しが》村の荒雄《あらお》の船「鴨丸」が行方《ゆくえ》不明
・五島列島の「みみらく崎」からの船出
・対馬《つしま》への食糧輸送の船だ
・元は宗形津麻呂《むなかたのつまろ》に命じられた役目
・「老齢のため行けぬので変わりを」との頼み
・男気《おとこぎ》あふれる荒雄《あらお》が買って出ての任務
・船は暴風雨に会い難破

【五島市三井楽町にある「行きし荒雄ら」歌碑】

也良《やら》の崎　岬廻《まわ》って　鴨丸の
来た言《ゆ》う知らせ　来んもんやろか

沖つ鳥　鴨云《ゆ》う船は　也良《やら》の崎
※（ひょとして）
廻《た》みて漕ぎ来《く》と　聞こえ来ぬかも

―山上憶良《やまのうえのおくら》―（巻十六・三八六七）

・沖つ鳥＝沖にいる鳥の意味で
「鴨」に掛かる枕詞

【五島列島・福江島の北端・みみらくの崎】

【博多湾西方に浮かぶ残島《のこのしま》・この北端が也良の崎】

瓜を食《く》うたら　思われる
栗を食《く》うては　また思う
どこから来たか　この子供
目ぇ瞑《つぶ》っても　顔浮かび
寝も出来んがな　気になって

瓜食《は》めば　子ども思おゆ
栗食《は》めば　まして偲《しの》ばゆ
何処《いずく》より　来《きた》りしものぞ
眼交《まなかい》に（目の前に）**　無性《もとな》懸かりて**（やたら浮かんで）
安眠《やすい》し寝《な》さぬ

—山上憶良《やまのうえのおくら》—（巻五・八〇二）

【和歌《うた》が詠《よ》まれた背景《はいけい》】

・憶良《おくら》は釈迦《しゃか》の教えを思っていた

・「世の中の人々を大切《だいじ》にするためには、
相手を我が子だと思いなさい」

・「しかし、子だからと言って愛情を
注ぎ過ぎてはいけない」と

・憶良《おくら》は思う

・（でもでも、
そうは行かないのだ）

・（こんなに、
こんなにも可愛いのだから）

【奈良市油阪東町（西方寺）の歌碑】

金や銀　宝の玉も　そんなもん
なんぼのもんじゃ　子に勝てるかい

銀《しろかね》も　金《くがね》も玉も　何せんに（何になろうか）
勝《まさ》れる宝　子に及《し》かめやも（及ばないのだ）

—山上憶良《やまのうえのおくら》—（巻五・八〇三）

【南木巨摩郡増穂町（増穂小学校）にある歌碑】

秋の野に　咲いてる花を　指折って
数えてみたら　ほらそれ七つ

秋の野に　咲きたる花を　指《およ》折《び》り
かき数うれば　七種《ななくさ》の花

―山上憶良《やまのうえのおくら》―（巻八・一五三七）

萩の花　薄《すすき》葛花《くずばな》　撫子《なでしこ》の花
女郎花《おみなえし》　藤袴花《ふじばかまばな》
桔梗《ききょう》の花や

萩の花　尾花《おばな》　葛花《くずばな》　なでしこの花
女郎花《おみなえし》　また藤袴《ふじばかま》　朝顔（桔梗？）の花
—山上憶良《やまのうえのおくら》—（巻八・一五三八）

山上臣憶良
秋野尓
咲有花乎
指折
可伎数者
七種花

【周南市若草町（万葉の森）にある歌碑】

さあみんな　早《はよ》ぅ日本《やまと》へ　帰ろうや
御津《みつ》の浜松　待ってるよって

いざ子ども（さあ者どもよ）　早く日本《やまと》へ
大伴の※（出かけ来た）　御津《みつ》の浜松　待ち恋いぬらん
―山上憶良《やまのうえのおくら》―（巻一・六三）

・大伴の御津《みつ》＝古くからの大伴氏の領地であった地域にある難波《なにわ》の浜

【和歌《うた》が詠《よ》まれた背景《はいけい》】

・72歳で都《みやこ》に戻った山上憶良《やまのうえのおくら》

・もう役目もない日々が続く

・やがて迎えた天平5年3月

・今年も遣唐使《けんとうし》が出るという

・老いの身が思い起こすのは、昔の誉《ほまれ》

・（我れが唐土遣《もろこしづか》いに加わったのは42歳
若くはなかったが、志《こころざし》に燃えていた
嵐に見舞われ、戻り、今一度の船出
やっと着いた唐土《もろこし》は、むき出しの山肌、
巻き上がる黄砂《きいろずな》、濁《にご》り水
あぁ、青い山、白い砂、清い流れ
そんな大和《やまと》が、どれほど恋しかったか
帰るとなったその時、思わず詠《うた》ったのが
この和歌《うた》・・・）

秋萩《はぎ》 連れ合いと 通う鹿
独《ひと》り子《ご》小鹿 持つという
その鹿みたい 独り子の
うちの子供が 任旅《たび》に行く
竹玉《たけだま》多数《いっぱい》 刺し貫《ぬ》いて
お神酒《みき》の壷《つぼ》に 幣《ぬさ》垂らし
忌《い》み慎《つつし》んで 祈ります
どうかあの子が 何とか無事と

秋萩を 妻問《つまど》う鹿《か》こそ（妻と思って通う鹿は）
独子《ひとりご》に 子持てりと云《い》え（言う）
鹿児《かこ》じもの（その鹿の子と同様の） 我が独子《ひとりご》の（ひとりごが）
草枕 ※（親置いて） 旅にし行けば（旅に行くので）
竹玉を 繁《しじ》に（多数に） 貫《ぬ》き垂《た》れ
斎瓮《いわいべ》に（神聖な酒壺） 木綿《ゆう》取り垂《し》でて（木綿〈ゆう〉製の幣を垂らし）
斎《いわ》いつつ（忌み慎んで） 我が思《も》う我子《わがこ》
真幸《まさき》くありこそ

—作者不明— （巻九・一七九〇）

【和歌《うた》が詠《よ》まれた背景《はいけい》】

・(待っておくれよ、我が子よ、我が子)

・遣唐使《けんとうし》の船が難波《なにわ》の浜を出る

・そこに駆《か》け付ける女が一人

・遣《つか》いに付いて行く一員の母だ

・手を振りながら、大声で詠《うた》う

・草枕＝旅に出ると、草を枕にして野宿をするので「旅」に掛かる枕詞

宿る野に　霜が降ったら
天《てん》の鶴　羽根を広げて　庇《かば》てやこの子

旅人《たびびと》の　宿りせん野に（夜寝る野原に）　霜降らば
我が子羽ぐくめ　天《あめ》の鶴群《たづむら》
—作者不明—（巻九・一七九一）

【堺市・大浜公園・蘇鉄山の歌碑】

【釧路市阿寒町（阿寒タンチョウの里）の歌碑】

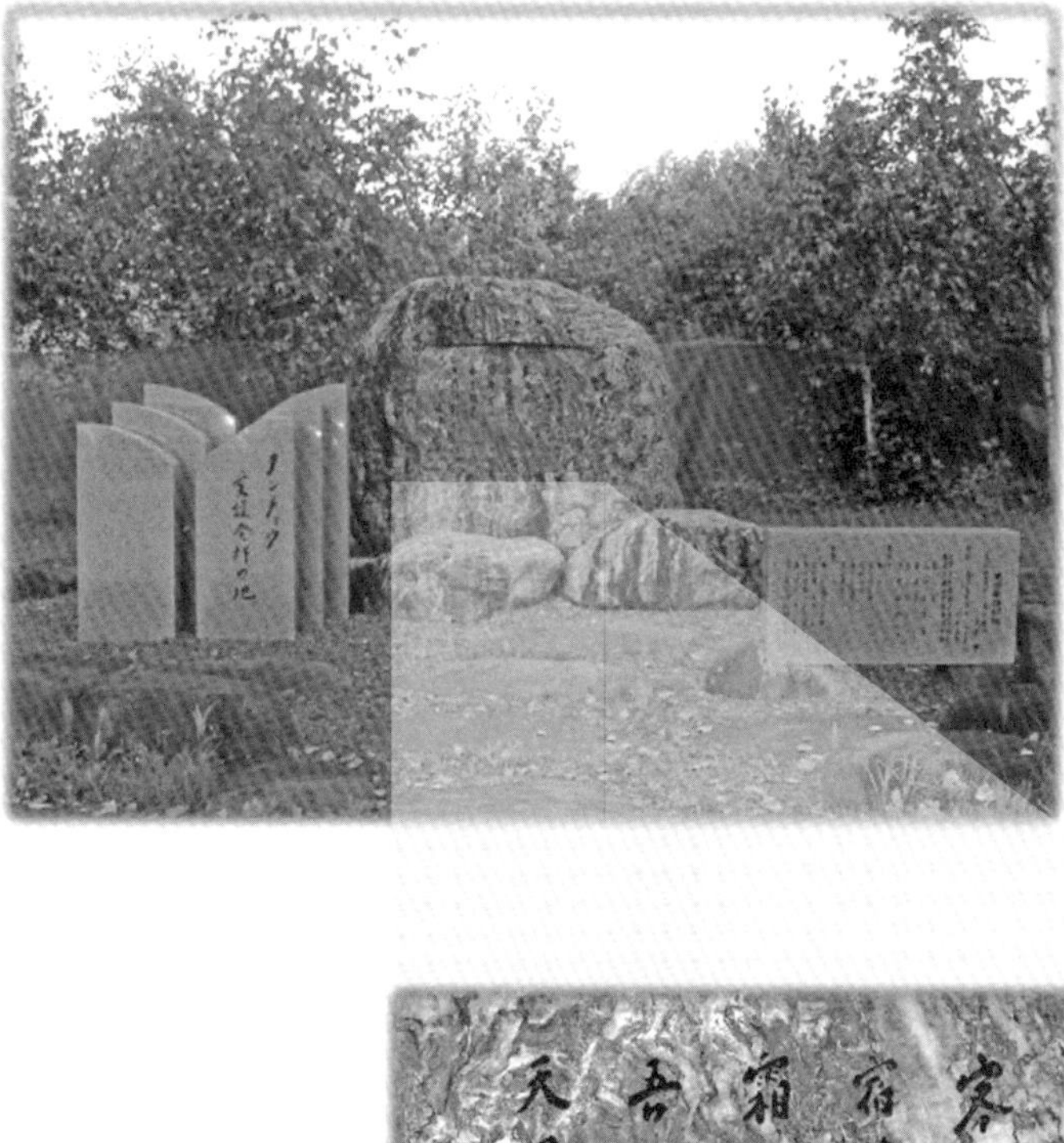

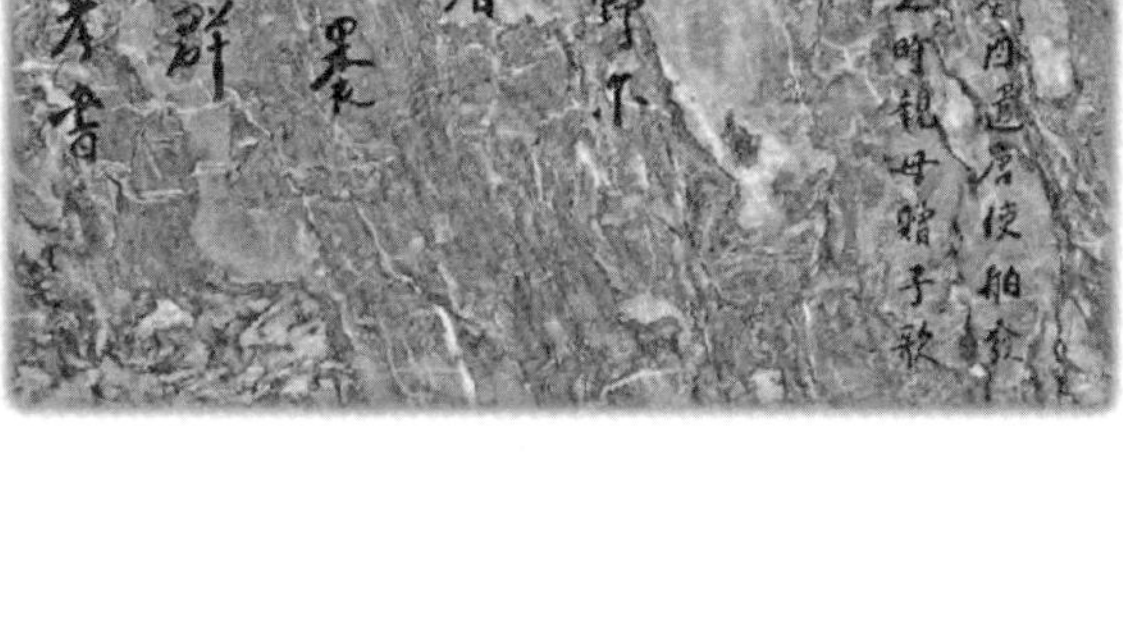

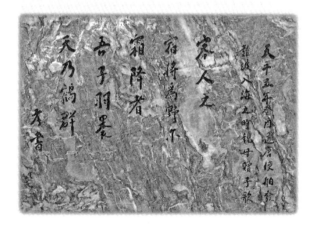

丈夫《ますらお》と　思うわしやぞ
後《のち》の世に　名ぁ残さんと　死ねるもんかい

士《おのこ》やも（男として）
空《むな》しくあるべき（空しく過ごして良いものだろうか）　万代《よろずよ》に
語り継ぐべき　名は立てずして
—山上憶良《やまのうえのおくら》—（巻六・九七八）

【和歌《うた》が詠《よ》まれた背景《はいけい》】

・山上憶良《やまのうえのおくら》は病《やまい》の床《とこ》に伏せていた

・(長い人生であった
唐土《もろこし》から帰ったものの、空《むな》しい日々
やがて伯耆《ほうき》(鳥取県西部)の守《かみ》となったが、
年齢《とし》は54歳になっていた
都《みやこ》へ戻り、一時、若きころの聖武《しょうむ》天皇の
教育係も務めたが
67歳で筑前《ちくぜん》(福岡県)の守《かみ》に
あぁ思い出す、筑紫歌壇
旅人《たびと》殿、小野老《おののおゆ》、沙弥満誓《さみまんせい》
皆々、いなくなった
だが、わしは死なぬぞ
なすべきことが、まだまだある・・・)

・その願いも空《むな》しく、74歳の憶良《おくら》は帰らぬ人に

都《みやこ》はるかな　東《あずま》の国に
昔あったと　伝わる話
今もそれかと　言い継ぐ話

鶏《とり》が鳴く※（離れて遠い）　東《あずま》の国に
古《いにしえ》（その昔）に　有りける事と
今までに　絶えず言い来《く》る

葛飾真間《かつしかまま》の　手児名《てこな》て云《ゆ》う児
色褪《あ》せ衿《えり》の　麻衣被《あさふくかぶ》り
麻そのままの　粗末裳穿《そまつもは》いて
髪もそのまま　梳《けず》りもせんで
沓《くつ》も履かへん　裸足《はだし》の児やに
錦《にしき》服着て　育った児にも
負けん位に　器量《きりょう》の良《え》ぇ児

葛飾《かつしか》の　真間《まま》の手児名《てこな》が
麻衣《あさぎぬ》に（麻の着物）　青衿《あおくび》（青色の襟）着け
直《ひた》さ麻《お》を（ただ麻だけの）　裳には織り着て
髪だにも（髪さえも）　掻《か》きは梳《けず》らず
履《くつ》をだに（沓をさえ）　穿《は》かず行けども
錦綾《にしきあや》の　中に包める（服に着飾られた）
姫様《いわいこ》も（大事に育てられた子も　その子に及びはしない）　妹《いも》に及《し》かめや

満月みたい　綺麗《きれえ》な顔で
花かと見える　笑顔で立つと
夏に飛ぶ虫　火に入る様《よ》に
湊に集まる　船来るみたい
男押しかけ　嫁にと騒ぐ

満月《もちづき》の　満《た》れる面輪《おもわ》に
花の如《ごと》　笑《え》みて立てれば
夏虫の　火に入るが如《ごと》
湊《みなと》入りに　船漕ぐ如く
行き群《がく》れ（どっと押し寄せ）　男《ひと》の求婚《いう》時

生きていたとて　長くは無いに
何をするやら　身の程知って
波音響く　湊の中の
水底墓《みなそこ》に　沈みて臥《ふ》すよ
昔のことと　伝えは言うが
昨日《きのう》にここで　起こったことを
見てるんかなと　思えてならん

幾許《いくばく》も（それほど長くは）　生《い》けらじものを（生きられないに）
何すとか（何をするやら）　身をたな知りて（身の程を知り）
波の音《と》の　騒ぐ湊の
奥津城《おくつき》（墓所）に　妹《いも》が臥《こや》せる
遠き代に　有りける事を
昨日しも（ほんの昨日に）　見けんが如《ごと》も（見た事の様に）
思おゆるかも

―高橋蟲麻呂《たかはしのむしまろ》歌集―（巻九・一八〇七）

【和歌《うた》が詠《よ》まれた背景《はいけい》】

・（お可哀想な、手児奈《てこな》ちゃん）

・高橋蟲麻呂《たかはしのむしまろ》は、藤原宇合《ふじわらのうまかい》に付いて、常陸《ひたち》の国（茨城県）にいた

・周りの国の伝承《つたえばなし》を尋ねて歩く

・下総《しもふさ》（千葉県北部）で聞いた話

・それは葛飾《かつしか》（市川市）の真間《まま》の手児奈《てこな》

【高橋蟲麻呂《たかはしのむしまろ》】（700？〜750？）

・万葉第三期から第四期の歌人

・旅の途中で見聞きした「言い伝え」を題材にした和歌《うた》が多い

・長歌15首、短歌20首、旋頭歌1首がある

※高橋蟲麻呂《たかはしのむしまろ》歌集は、当人が作った和歌《うた》を集めたもの

真間《まま》の井を　見てると幻視《み》える
あの手児名《てこな》
来ては水汲む　可愛《かい》らし姿

葛飾《かつしか》の　真間《まま》の井見れば
立ち平《なら》し(やって来ては)
水汲ましけん(汲んでいた)　手児名《てこな》し思おゆ
―高橋蟲麻呂《たかはしのむしまろ》歌集―（巻九・一八〇八）

【市川市の亀井院にある「真間の井」】

山が連なる　甲斐《かい》の国
波うち寄せる　駿河《するが》国
二つの国の　まん中に
デンと控える　富士の山
天《てん》行く雲も　行き淀《よど》み
空飛ぶ鳥も　飛び行《ゆ》けん
噴火の炎　雪が消す
降《ふ》り来る雪も　火ぃ溶かす

なまよみの（※山がちの）　甲斐《かい》の国
うち寄する（波寄せる）　駿河《するが》の国と
彼方此方《こちごち》の　国のみ中ゆ
出で立てる　富士の高嶺は
天雲《あまぐも》も　い行き憚《はばか》り
飛ぶ鳥も　飛びも上《のぼ》らず
燃ゆる火を　雪もち消《け》ち
降る雪を　火もち消《け》ちつつ

・なまよみの＝「甲斐」に掛かる枕詞。掛かり方不明

褒《ほ》めや譬《たと》えの　言葉ない
言うことなしの　神の山
石花《せ》の海云《ゆ》う名　持つ湖《うみ》は
お山造った　堰《せ》き止め湖《こ》
瀬ぇ人渡る　富士川は
山湧く水の　ほとばしり

言いも得ず　名付けも知らず
霊《くす》しくも　います神かも
石花《せ》の海と　名付けてあるも
その山の　堤《つつ》める海ぞ
富士川と　人の渡るも
その山の　水の激《たぎ》ちぞ

・石花《せ》の海＝貞観《じょうがん》6年（864）の噴火で、精進湖・西湖に分かれる前の元の湖

この日《ひ》の本《もと》の　大和《やまと》での
守りの神の　居る山や
宝物《たからもん》やで　この山は
駿河《するが》高嶺の　富士の山
何ぼ見てても　飽《あ》きん山

日《ひ》の本《もと》の　大和《やまと》の国の
鎮《しずめ》とも　座《いま》す神かも
宝とも　生《な》れる山かも
駿河《するが》なる　富士の高嶺は
見れど飽《あ》かぬかも

―高橋蟲麻呂《たかはしのむしまろ》歌集―（巻三・三一九）

【和歌《うた》が詠《よ》まれた背景《はいけい》】

・（おぅおぅ見えた、日本一）
・役目を終えて、都《みやこ》へ戻る藤原宇合《ふじわらのうまかい》
・進む一行の目に見えてきたのは富士の山
裾を大きく東と西に引き
中ほどには雲が巻いている
頂《いただき》の雪の中、噴煙《けむり》が昇り、火が赤い
・高橋蟲麻呂《たかはしのむしまろ》は、筆を執《と》る

【富士の高嶺】

鶯の　卵に混《ま》じり　ほととぎす
　生まれてみたが　独りぼち
　　鳴き声父に　似て居《お》らん
　　　母の声にも　似とらせん
卯《う》の花咲いた　野原越え
　飛び来て声を　響かして
　　鳴いて　橘《たちばな》　花《はな》散らす
　　　一日　聞いても　飽きはせん
礼をするから　行かんとに
　家《うち》の庭での　花橘《たちばな》に
　　住んでそのまま　居ってんか

鶯の　抱卵《かいこ》の中に
　霍公鳥《ほととぎす》　独《ひと》り生まれて
　　己《な》が父に　似ては鳴かず
　　　己《な》が母に　似ては鳴かず
卯の花の　咲きたる野辺ゆ
　飛び翔《かけ》り　来鳴《き》き響《とよ》もし
　　橘の　花を居散らし
　　　終日《ひねもす》に　鳴けど聞きよし
賄《まい》はせん　遠くな行きそ
　我がやどの　花橘に
　　棲《す》み渡れ鳥

——高橋蟲麻呂《たかはしのむしまろ》歌集——（巻九・一七五五）

霧雨《きりさめ》の　降る夜《よ》に鳴いて
飛んでった
わしに良《よ》ぅ似た　あのほととぎす

かき霧《き》らし　雨の降る夜を　霍公鳥《ほととぎす》
鳴きて行くなり　あわれその鳥
——高橋蟲麻呂《たかはしのむしまろ》歌集——（巻九・一七五六）

【和歌《うた》が詠《よ》まれた背景《はいけい》】

・（お前もひとりが良いのか）
・ほととぎすは、他《ほか》の鳥の巣に卵を産む
・その卵は先に孵《かえ》って、元いた鳥の卵を外に落とし、代わり自分を育てさせる
・年齢《とし》を取った蟲麻呂《むしまろ》は、そんな「ひとりぼっち」なホトトギスに、自分を重ねる

春の野に　菫《すみれ》を摘《つ》みに　来たんやが
気分良《え》えんで　泊って仕舞《しも》た

春の野に　すみれ摘《つ》みにと　来《こ》し我れぞ
野をなつかしみ（心惹かれて）　一夜《ひとよ》寝にける
―山部赤人《やまべのあかひと》―（巻八・一四二四）

【和歌《うた》が詠《よ》まれた背景《はいけい》】
・（わしが後を継《つ》ぐのだ、人麻呂どのの）
・宮廷歌人の第一を目指す山部赤人《やまべのあかひと》
・（我こそ）と思うが、思うに任せない
・それは人付き合いが、今一つのせいか
・みんなと一緒に楽しむことができない
・今日も、スミレを摘みに一人で・・・

【山部赤人《やまべのあかひと》】（700？〜750？）
・万葉第三期の宮廷歌人
・柿本人麻呂《かきのもとのひとまろ》と並び称され、短歌による
叙景歌《じょけいか》に新しい境地を開いた
・長歌13首、短歌37首がある
※叙景歌《じょけいか》＝景色の様子を詠《よ》み込んだ和歌《うた》

尊《とうと》いお方　天皇《おおきみ》の
続く宮処《みや》やと　仕えてる
雑賀野《さいかの》の向《む》こ　見えとおる
沖の島での　良《え》ぇ渚《なぎさ》
風が吹いたら　白波《なみ》立って
潮が引いたら　玉藻刈る
神代からして　尊いで
ほんま良《え》ぇとこ　玉津島山《たまつしま》

やすみしし※（偉大なる）　我が大君の
常宮《とこみや》と　仕え奉《まつ》れる
雑賀野《さいかの》ゆ　背向《そがい》に見ゆる
沖つ島　清き渚《なぎさ》に
風吹けば　白波騒ぎ
潮干《ふ》れば　玉藻刈りつつ
神代より　然《しか》ぞ尊《とうと》き
玉津島山《たまつしまやま》

—山部赤人《やまべのあかひと》—（巻六・九一七）

【和歌《うた》が詠《よ》まれた背景《はいけい》】

・(何としても、人麻呂どのを越えなければ)
・聖武《しょうむ》天皇が位《くらい》に着かれた年の冬
・紀《き》伊の国(和歌山県)への行幸《みゆき》
・赤人《あかひと》は詠《うた》う
・野を褒《ほ》め、島を褒《ほ》め、渚《なぎさ》の白波を詠《うた》う
・(何か、重々しさが足らぬ
　人麻呂どのには、とても及ばぬ)
・天皇を神と敬《うやま》った、あの時代
・今は、天皇も皆と楽しまれる行幸《みゆき》
・赤人《あかひと》の反歌《はんか》に、自分の思いが入り込む

【権現山《ごんげんやま》から「わかの浦」を見る】

潮満ちる　干潟無《の》うなる　若の浦
葦ある岸へ　鶴鳴いてくで

若の浦に　潮満ち来れば　潟《かた》を無み
（干潟がなくなるので）
葦辺をさして　鶴《たづ》鳴き渡る
―山部赤人《やまべのあかひと》―（巻六・九一九）

【和歌浦中三丁目（玉津島神社）の長・短歌の歌碑】

吉野山　象山《きさやま》木立ち　梢先《こずえさき》
鳥無数《いっぱい》に　囀《さえず》る朝や

み吉野の　象山《きさやま》の際《ま》の　木末《こぬれ》には
数多《ここだ》も騒《さわ》ぐ　鳥の声かも
―山部赤人《やまべのあかひと》―（巻六・九二四）

【喜佐谷から見る象山《きさやま》】

夜《よる》更けた
久木《ひさぎ》生《は》えてる　川原《かわはら》で
千鳥鳴き声　頻《しき》りに為《し》とる

※ぬばたまの（しんしんと）　夜の更けぬれば（更け果てると）
久木《ひさぎ》生《お》うる（木の名前・アカメガシワ？）　清き川原に　千鳥数《しば》鳴く
―山部赤人《やまべのあかひと》―　（巻六・九二五）

【和歌《うた》が詠《よ》まれた背景《はいけい》】
・（とうとう出来たぞ、これこそ我れの和歌《うた》）
・紀《き》伊の国への行幸《みゆき》の翌年《よくとし》・夏
・吉野への行幸《みゆき》
・そこには、吹っ切れた赤人《あかひと》がいた
・長歌《ちょうか》と離れ、自分の思いを存分に詠《うた》う短歌《たんか》の誕生である

田子《たご》の浦　回って見たら　パッと富士
山上《やまうえ》白ぅ　雪降っとるで

田児の浦ゆ（田子の浦を回って）　うち出《い》でて見れば
ま白にぞ　富士の高嶺に　雪は降りける
―山部赤人《やまべのあかひと》―（巻三・三一八）

【和歌《うた》が詠《よ》まれた背景《はいけい》】

・（おおっ、富士だ！）
・駿河《するが》の国（静岡県中部）、由比《ゆい》
・崖に懸《か》かる狭い海沿いの道
・足元を見つめ進む赤人《あかひと》
・険《けわ》しい道が終わり、ほっと息を吐《つ》き、
見上げる目に、飛び込む富士の白い峰
・立ち尽くす赤人《あかひと》
・やがて、溢《あふ》れ出た胸の思いが和歌《うた》となる

【薩埵《さった》峠の道から見た富士】

天地《てんち》の出来た　昔から
神々《こうごう》しいて　崇高《けだか》しい
駿河の国の　富士の山
振り仰いでも　高過ぎて
日ぃ隠されて　よぅ見えん
月の光も　届かへん
白雲泥《なず》み　よぅ行かん
雪は常時《いっつも》　降っとぉる
語り伝えて　言い継《つ》ごう
富士の高嶺の　この尊《とうと》さを

天地《あめつち》の　分れし時ゆ
神《かん》さびて（神々しくて）　高く貴《とうと》き
駿河なる　富士の高嶺を
振り放《さ》け見れば（振り仰げば）
渡る日の　影も隠《かく》らい
照る月の　光も見えず
白雲も　い行き憚《はばか》り（行くのを躊躇し）
時じくぞ（時置かず）　雪は降りける
語りつぎ　言い継《つ》ぎ行かん
富士の高嶺は

—山部赤人《やまべのあかひと》—　（巻三・三一七）

【薩埵《さった》峠の下から見た富士】

恋い焦がれ　逢えたんやから
好き好きて　満々言《いっぱいゆ》うて　離さん云《ゆ》なら

恋い恋いて（長く恋い続けて）　**逢える時だに**（やっと会えたときだけでも）
愛《うるわ》しき　言葉《こと》尽してよ　長くと思わば（長く続けようと思うなら）

—大伴坂上郎女《おおとものさかのうえのいらつめ》—（巻四・六六一）

大伴旅人《おおとものたびと》
├ 大伴坂上郎女《おおとものさかのうえのいらつめ》 — 坂上大嬢《さかのうえのおおいらつめ》
└ 大伴家持《おおとものやかもち》

大伴家持《おおとものやかもち》 ＝ 坂上大嬢《さかのうえのおおいらつめ》

うちだけや
恋し思てん　決まってる
あんた口先　ばっかりやんか

我れのみぞ　君には恋うる
我が背子《せこ》が
恋うと言うことは　言《こと》の慰《なぐさ》ぞ（口先だけや）
—大伴坂上郎女《おおとものさかのうえのいらつめ》—（巻四・六五六）

【大伴坂上郎女《おおとものさかのうえのいらつめ》】（*699*?〜*760*?）

・万葉第三期から第四期の歌人
・大伴旅人《おおとものたびと》の異母妹《いもうと》
・大伴家持《おおとものやかもち》の叔母
・若いころは恋愛関係の多かった女性であったが、旅人《たびと》が亡くなった後、大伴家を取り仕切り、家持《やかもち》を支えた
・長歌6首、短歌77首、旋頭歌1首がある

来《く》る言《ゆ》ても　来《こ》ん時あるで　来《こ》ん言《ゆ》んや
来《く》るか待たんで　来《こ》ん言うとんに

来《こ》ん（来よう）と言うも　来《こ》ん（来ない時）時あるを
来《こ》じ（来ないと）と言うを
来《こ》ん（来ると思っては）とは　待たじ　来《こ》じ（来ないと）と言うものを
―大伴坂上郎女《おおとものさかのうえのいらつめ》―（巻四・五二七）

来《き》ます言《ゆ》て
来《き》いひんあるで
来《き》いひんて（言うのに）
来《き》て欲し（と）待たん
来《き》いひん言うに

もぅ、うち、は　死んで仕舞《しも》たる　生きてても
あんたその気に　成らへんよって

今は我《わ》は　死なんよ（死んでしまおう）　我が背
生《い》けりとも
我れに依《よ》るべしと　言うと言わなくに（言うわけでなし）

—大伴坂上郎女《おおとものさかのうえのいらつめ》—（巻四・六八四）

第五章　第四期の和歌《うた》

【この時代の主な出来事】

・地方に反乱が起こったりして、世の中が落ち着かず、嫌気を差した聖武《しょうむ》天皇が都《みやこ》を離れ伊勢から近江と各地を歩き回り、やがて一時期恭仁京《くにきょう》（滋賀県南部）に都《みやこ》を移す

・藤原仲麻呂《ふじわらのなかまろ》が権力を握り、自分の思うように政治を動かす

・これに反発して、橘奈良麻呂《たちばなのならまろ》の変が起こる

・和歌《うた》の詠《よ》まれ方は、次第に細やかになり、美の世界を目指すようになる

【和歌《うた》を詠《うた》った主な人】

中臣宅守《なかとみのやかもり》、狭野弟上娘子《さののおとかみのおとめ》、田辺福麻呂《たなべのさきまろ》
大伴家持《おおとものやかもち》、笠郎女《かさのいらつめ》、

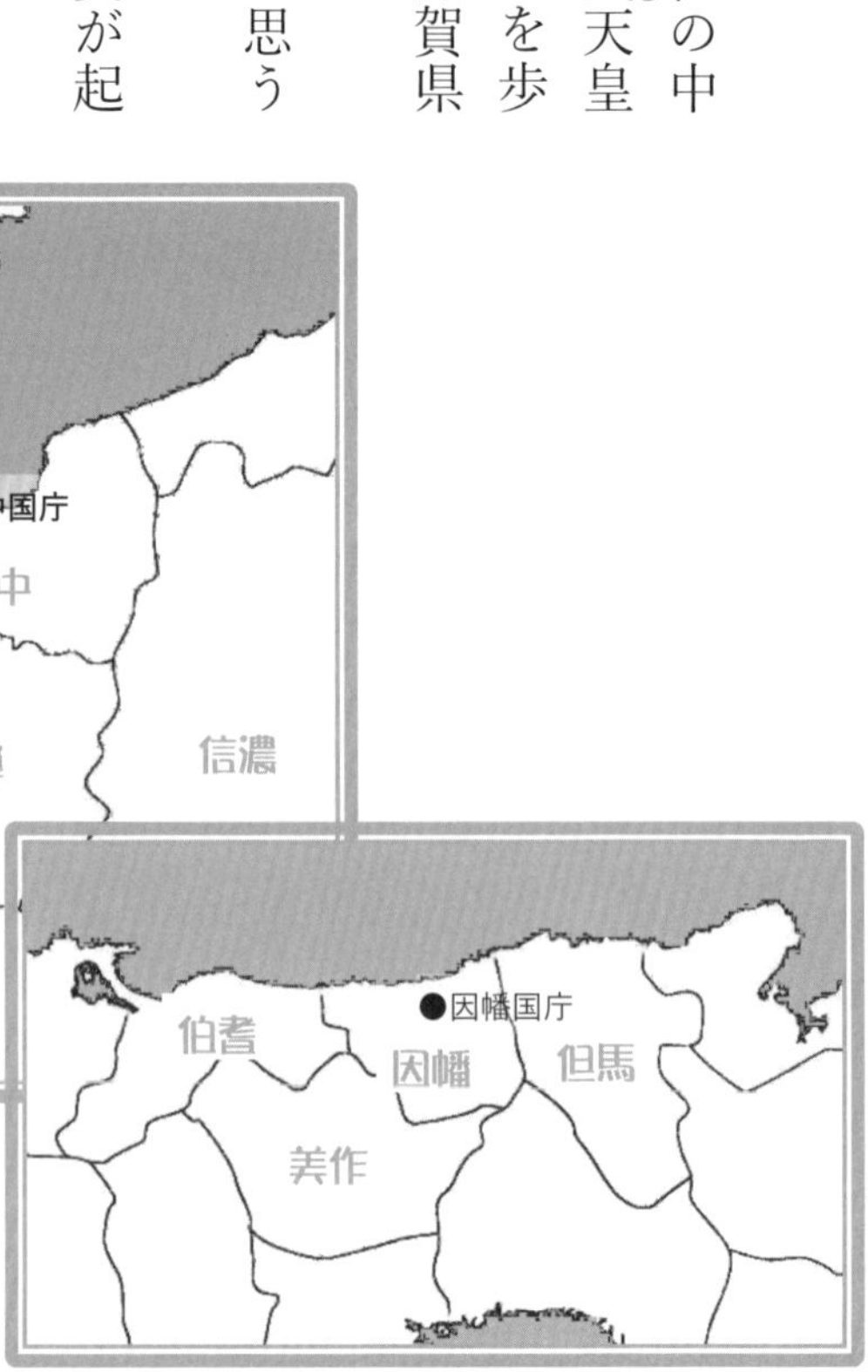

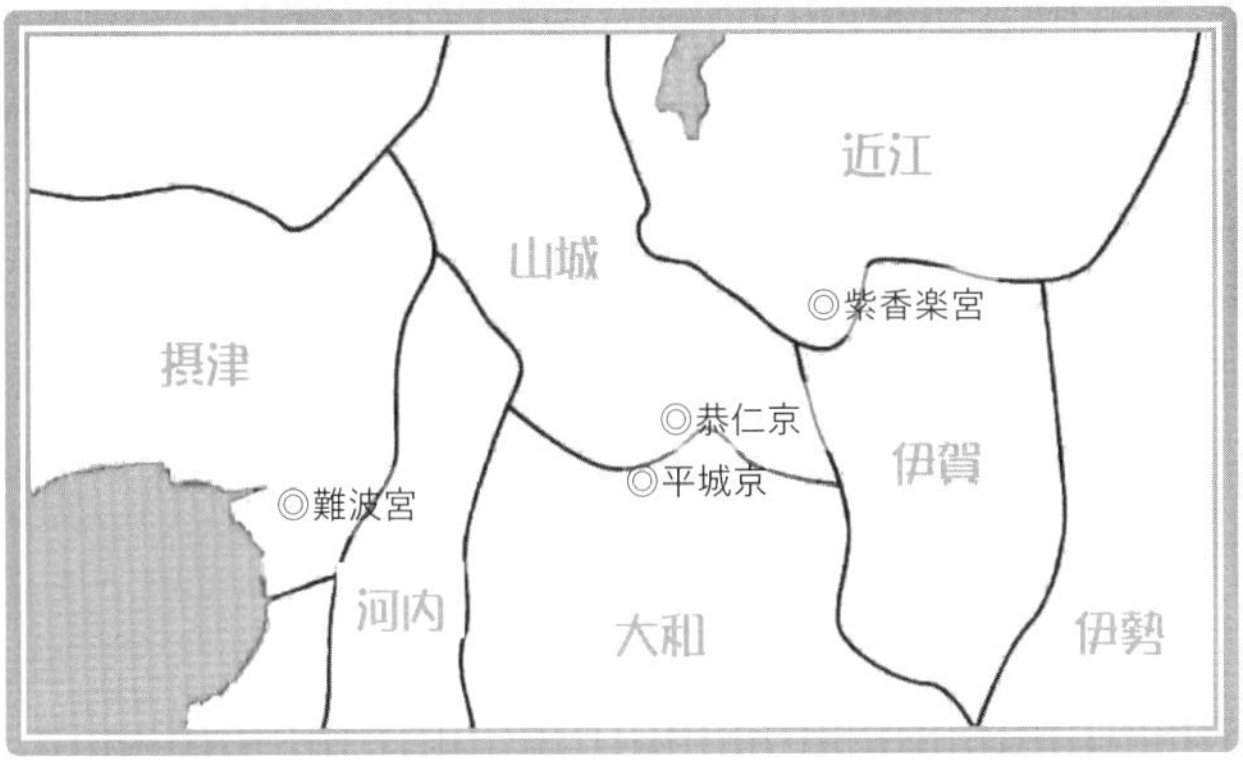

区分	都	天皇	西暦	年号	年	月	事柄
第四期	平城京	聖武	738年	天平	10年	10月	橘諸兄左大臣に
							このころ中臣宅守・越前配流
			740年	天平	12年	9月	藤原広嗣の乱
						10月	伊勢～近江巡幸　恭仁京へ
	恭仁京		741年	天平	13年	1月	天皇、恭仁京で朝政
			742年	天平	14年	8月	紫香楽宮造営
			743年	天平	15年	10月	大仏鋳造発願
			744年	天平	16年	1月	安積皇子　没（17）
	難波宮					2月	難波宮遷都
	平城京		745年	天平	17年	5月	平城京に戻る
							総国分寺（東大寺）建立発願
			746年	天平	18年		家持越中守赴任
			749年	天平	21年	4月	陸奥より黄金献上
		孝謙		天平勝宝	1年	7月	聖武退位・孝謙即位　大仏完成
							坂上大嬢越中へ
			751年	天平勝宝	3年	8月	家持越中より帰京
						11月	「懐風藻」成る
							大仏殿完成
			752年	天平勝宝	4年	4月	大仏開眼会
			756年	天平勝宝	8年	5月	聖武崩御（56）
						5月	養老律令施行
						7月	橘奈良麻呂謀反
			758年	天平宝字	2年	6月	家持因幡守
		淳仁				8月	淳仁即位
			759年	天平宝字	3年	1月	家持最終歌
万葉以降			764年	天平宝字	8年	9月	恵美押勝反乱
		称徳				10月	淳仁淡路へ　孝謙重祚（称徳）
		光仁	770年	神護景雲	4年	8月	称徳崩御（53）
	長岡京	桓武	784年	延暦	3年		家持征東将軍、長岡京遷都
			785年	延暦	4年		家持没（69）
	平安京		794年	延暦	13年	10月	平安京遷都

塵《ちり》みたい　こんなしがない　ワシの所為《ため》
辛《つら》い目に遭《あ》う　お前可哀想《かわいそ》

塵泥《ちりひじ》の（塵や泥〈どろ〉の様な）　数《かず》にもあらぬ　我れ故に（私の所為で）
思い侘《わぶ》らん　妹《いも》が悲しさ
―中臣宅守《なかとみのやかもり》―（巻十五・三七二七）

【中臣宅守《なかとみのやかもり》】（720?～770?）
・万葉第四期の宮廷の役人
・流罪《るざい》の原因は、はっきりしない
・宮廷の女官に恋した罪か、誰かに罪を被《かぶ》せられたか
・一度許されて戻る機会があったが、その時は戻されず、後になって戻される

【和歌《うた》が詠《よ》まれた背景《はいけい》①】

・許されない女官に恋をした男がいた
・男の名は中臣宅守《なかとみのやかもり》
・女は、狭野弟上娘子《さののおとかみのおとめ》という
・男は越前《えちぜん》の国（福井県北部）味真野《あじまの》に
流罪《るざい》
・連れていかれる宅守《やかもり》は、
妻を憐れんで詠《うた》う
※流罪《るざい》＝人があまり住んでいない
遠くの地に住まわせる刑罰

【越前市越前の里・味真野苑の歌碑】

燃やしたる　あんた行く道　手繰《たぐ》り寄せ
そんな火ィ欲し　神さん寄越《よこ》せ

君が行く　道の長手を（長い道のり）**　繰《く》り畳《たた》ね**
焼き亡《ほろ》ぼさん（焼き尽くしてしまう様な）**　天《あめ》の火もがも**（天の火が欲しい）

―狭野弟上娘子《さののおとかみのおとめ》―（巻十五・三七二四）

【狭野弟上娘子《さののおとかみのおとめ》】（718？～741？）
・宮廷の女官
・都《みやこ》に残り、夫・中臣宅守《なかとみのやかもり》の帰りを待つが、宅守《やかもり》が戻る前に死んでしまう

【和歌《うた》が詠《よ》まれた背景《はいけい》②】

・(何故そんなに重い罪に
きっと、これだけではない、誰かが・・・
神よ、助けよ！)

【越前の里・味真野苑の歌碑
二つの歌碑は小高い丘に
向かい合って立っている】

赦《ゆる》されて　帰る人来る
聞いた時
死《し》に相《そ》なったで　あんたや思《おも》て

帰りける（帰って来た）　人来《ひとき》たれりと
言いしかば（人が言うのを聞き）
殆《ほ》と殆《ほ》と死にき　君かと思いて
―狭野弟上娘子《さののおとかみのおとめ》―（巻十五・三七七二）

【味真野・味真野神社から東を見る】

覚えてて　あんたの帰る　その日まで
うち長らえて　生きてくよって

我が背子《せこ》が（私のあなたが）　帰り来《き》まさん　時のため
命残《いのちのこ》さん　忘れ給うな

―狭野弟上娘子《さののおとかみのおとめ》―（巻十五・三七七四）

尊《とうと》きお方　天皇《おおきみ》の
お治めなさる　大和国《やまとくに》
ご先祖神《せんぞかみ》の　御代《みよ》からも
ずっと治めて　来た国や
お生まれなさる　御子《おこ》さんが
次々天下《てんか》　支配され
八百年も　千年も
続く様《よ》決めた　平城都《ならみや》は

やすみしし　我が大君の
※（偉大なる）
統治《たかし》かす　日本《やまと》の国は
皇祖《すめろき》の　神の御代《みよ》より
統治《しき》ませる　国にしあれば
生《あ》れまさん　御子《みこ》の継《つ》ぎ継《つ》ぎ
（生まれ来られる）
天《あめ》の下《した》　支配《しら》しまさんと
八百万《やおよろず》　千年《ちとせ》を兼ねて
定めけん　平城《なら》の都《みやこ》は

陽炎《かげろう》燃える　春来ると
春日《かすが》の山の　御笠野《みかさの》に
桜花《はな》咲く　木の陰で
郭公鳥《かっこうどり》が　鳴き続け
露霜《つゆしも》降《お》りる　秋来たら
生駒の山の　飛火《とびひ》丘
萩枝《えだ》絡《から》まして　花散らし
雄鹿《おじか》連れ呼ぶ　声響く

陽炎《かぎろい》の　春にしなれば
春日山《かすがやま》　御笠の野辺に
桜花　木《こ》の暗隠《くれがく》り
貌鳥《かおとり》（カッコウ）は　間《ま》なく頻《しば》鳴く
露霜《つゆしも》の　秋来《さ》り来れば
生駒山　飛火《とぶひ》が岳《たけ》に
萩の枝《え》を　巻絡《しがら》み散らし
さ雄鹿《お》は　妻呼び響《とよ》む

山を見たなら　眺め良《よ》て
里見てみたら　住み良《よ》ぅて
仕《つか》える人は　誰も皆
疑い無《の》ぅに　思《おも》たんは
天と地ぃとが　一緒なり
くっ付く日まで　栄えると

山見れば　山も見が欲《ほ》し
里見れば　里も住み良し
※**もののふの**（そこに居た）　**八十伴《やそとも》の男《お》の**（大勢の仕える人は）
常時《うらは》えて（常日頃）　**思えりしくは**（思っていたのは）
天地《あめつち》の　寄り合いの極《きわみ》
万代《よろずよ》に　栄え行かんと

・もののふの＝もののふ（＝宮廷に仕える人）が多いので「八十《やそ》」に掛かる枕詞
・さす竹の＝さす竹（勢いよく伸びる竹）で、栄えることを祈って「大宮人」に掛かる枕詞

そう思《おも》とった　大宮が
心頼《たよ》りの　平城都《ならみや》が
新《あら》た時代と　世が変わり
天皇《おおきみ》さんの　お指図《さしず》で
花散るみたい　都《みや》移り
鳥飛ぶように　人影《かげ》消えて
仕えてた人　大勢が
通《とお》っておった　道々は
馬も通らん　人さえも
何も行かんで　荒れて仕舞《しも》てる

思えりし　大宮すらを
頼《たの》めりし　平城《なら》の都を
新代《あらたよ》の　事にしあれば
大君の　引《ひき》の任《まま》に任《まま》に（お言葉のまま）
春花の　（都）移ろい変り
群鳥《むらとり》の　（人）朝立ちゆけば
さす竹の　大宮人の　※（お仕えの）
踏《ふ》み平《なら》し　通いし道は
馬《ま》も行かず　人も行《ゆ》かねば
荒れにけるかも

—田辺福麻呂《たなべのさきまろ》歌集—（巻六・一〇四七）

【和歌《うた》が詠《よ》まれた背景《はいけい》】

・平城《なら》に都《みやこ》が移り、30年近く

・ひどい伝染病がはやり、地方では反乱が起こったりして、世の中は乱れる

・嫌気が差したのか、聖武《しょうむ》天皇は、伊勢《いせ》・美濃《みの》・近江《おうみ》・山城《やましろ》と五年間彷徨《さまよ》い歩き、ついに都《みやこ》を恭仁京《くにきょう》に移す

・平城《なら》の都《みやこ》は荒れ果て、人も住まなくなって・・・

【田辺福麻呂《たなべのさきまろ》】（*710*？〜*770*？）

・万葉第四期の歌人

・恭仁京《くにきょう》の和歌《うた》のほか、橘諸兄《たちばなのもろえ》の使者として大伴家持《おおとものやかもち》を越中に訪ねている

・長歌10首、短歌34首がある

・田辺福麻呂《たなべのさきまろ》歌集の和歌《うた》は、本人のものとされる

【平城宮大極殿址】

世の中が
変わり古都《ふるみや》　なって仕舞《も》て
道の草皆《みな》　延び放題《ほうだい》や

親しんだ
平城《なら》の都が　荒れてくで
ここ来る度《たんび》　嘆きが募る

立ち変り
古き都《みやこ》と　成りぬれば
道の芝草　長く生《お》いにけり
—田辺福麻呂《たなべのさきまろ》歌集—（巻六・一〇四八）

馴《な》親《つ》きにし
平城《なら》の　都《みやこ》の　荒れゆけば
出《い》で立つごとに　嘆きし更増《まさ》る
—田辺福麻呂《たなべのさきまろ》歌集—（巻六・一〇四九）

神であられる　天皇《おおきみ》の
お治めなさる　布当宮《ふたぎみや》
木々が茂って　山高い
激流《ながれ》の瀬音《せおと》　清らかや
鶯鳥が　鳴く春は
山裾岩《いわ》は　照り光り
錦きらめく　花が咲く

我が大君　神の命《みこと》の
統治《たか》らす　布当《ふたぎ》の宮は
百樹《もも》なし　山は木高《こだか》し
落ち激《たぎ》つ　瀬の音《と》も清し
鴬の　来鳴く春べは
巌《いわお》には　山下光り
錦なす　花咲きおおり（花咲き溢れ）

・布当宮《ふたぎみや》＝元々の地名で、三香原《みかのはら》（瓶原・甕原）、恭仁京《くにきょう》の別名

雄鹿《おじか》連れ呼ぶ　秋来たら
空を覆《おお》って　時雨《しぐれ》降り
色付き黄葉《もみじ》　散り乱る
八千年《はっせんねん》の　後《のち》までも
世継《つ》ぎ次々　生《う》まれられ
この国ずっと　治めはり
百代《ひゃくだい》までも　変わらんと
続いて行くよ　ここの大宮所《みやどこ》

さ雄《お》鹿の　妻呼ぶ秋は
天霧《あまき》らう　時雨《しぐれ》を激《いた》み
さ丹《に》つらう　黄葉《もみじ》散りつつ
（真っ赤に染まる）
八千年《やちとせ》に　生《あ》れ継がしつつ
（生まれ続きながら）
天の下　統治《しらし》めさんと
百代《ももよ》にも
変るましじき　大宮所《おおみやどころ》
（変わるなずない）

―田辺福麻呂《たなべのさきまろ》歌集―（巻六・一〇五三）

鹿背山《かせやま》は　木ぃ繁茂《いっぱい》や
鶯が
毎朝来ては　声響かせる

狛山《こまやま》で　鳴く霍公鳥《ほととぎす》
泉川《かわ》広《ひろ》て
よぅ渡れんで　ここ来《き》よらへん

鹿背《かせ》の山　樹立《こだち》を繁《しげ》み
毎朝《あさ》欠《さ》らず
来鳴き響《とよ》もす　鶯の声

—田辺福麻呂《たなべのさきまろ》歌集—（巻六・一〇五七）

狛山《こまやま》に　鳴く霍公鳥《ほととぎす》
泉川
渡《わたり》を遠み　此処《ここ》に通わず

—田辺福麻呂《たなべのさきまろ》歌集—（巻六・一〇五八）

【和歌《うた》が詠《よ》まれた背景《はいけい》】

・恭仁京《くにきょう》での都《みやこ》造り

・山があり、川があり、気候も景色も良い

・着々と進む工事に、皆の期待は膨《ふく》らむ

・・・・・・・・・

・しかし、大きな工事のため費用が掛かり、気まぐれなのか、聖武《しょうむ》天皇は、近江《おうみ》の紫香楽《しがらき》への行幸《みゆき》を繰り返し、都《みやこ》は難波《なにわ》へ、そして元の平城《なら》へと戻ることになる・・・

【木津川市の鹿背山・
木津川（泉川）の恭仁大橋より】

【狛山・法花寺野背後の高みより】

振り仰《あお》ぎ　三日月見たら
一目見た　お前の眉《まゆ》が　目に浮かんだで

振《ふ》り放《さ》け（振り仰ぎ）て　三日月見れば
一目見し　人の眉引《まゆびき》　思おゆるかも
―大伴家持《おおとものやかもち》―　（巻六・九九四）

【和歌《うた》が詠《よ》まれた背景《はいけい》】

・（これは、これは、何と可愛い）
・まだ若い大伴家持《おおとものやかもち》に恋の相手がいた？
・相手は、従妹《いとこ》の坂上大嬢《さかのうえのおおいらつめ》（８歳）
・まだ少年の面影を残す家持（15歳）が詠《うた》う
・届いた和歌《うた》への返歌《かえしうた》だ
・届いたのは

《三日月の　ような眉毛《まゆげ》を　掻《か》いたんで
　恋焦《こいこ》がれてた　あんたに逢えた》

・（これは出来過ぎだ、叔母さまが代わりに作ったに違いない）
・（それならば）とのからかい和歌《うた》か？
※眉毛《まゆげ》を掻《か》く＝眉が痒《かゆ》いのは何か良いことが起こる知らせ

【大伴家持《おおとものやかもち》】（717？～785）

・万葉第四期の歌人
・妻は坂上郎女《さかのうえのいらつめ》の娘の
　大伴坂上大嬢《おおとものさかのうえのおおいらつめ》
・22歳のころ内舎人《うどねり》になる
・聖武《しょうむ》天皇が伊勢《いせ》・美濃《みの》・近江《おうみ》・山城《やましろ》と五年間彷徨《さまよ》い歩くのに付き従う
・30歳で越中《えっちゅう》の国（富山県）の守《かみ》になり、現地で多くの和歌《うた》を詠《よ》む
・五年後越中《えっちゅう》から都《みやこ》へ戻る
・42歳に因幡《いなば》の国（鳥取県）の守《かみ》になる
・長歌46首、短歌425首、旋頭歌１首、連歌１首がある
※内舎人《うどねり》＝天皇の傍にいて、警備などのいろいろなことをし、行幸《みゆき》の警護もする

皆《みんな》 みな　早よ寝《ね》と鐘は　鳴るけども
あんた思たら　眠《ねむ》られへんが

皆人《みなひと》を（みんな皆）　寝《ね》よとの鐘《かね》は　打つなれど
君をし思《も》えば　眠《い》ね難《かて》ぬかも（寝ても眠られない）
―笠郎女《かさのいらつめ》―（巻四・六〇七）

【和歌《うた》が詠《よ》まれた背景《はいけい》】

・(ええいもう、死んでしまえや、死んでやる)
・若い貴族のおぼっちゃまの大伴家持《おおとものやかもち》
・美男子であることを鼻にかけて、恋を求めて歩き回る
・やがて見つけた「これは」という女性
・笠郎女《かさのいらつめ》だ
・相手の心に火は付けたのはよいが、その燃え上がる情熱にたじたじとなり、家持《やかもち》の思いは一挙に冷《さ》める
・諦《あきら》め切れない笠郎女《かさのいらつめ》
・「これでもか」と届く恨みの恋の和歌《うた》・・・
・これに対する家持《やかもち》の和歌《うた》は万葉集にはない

【笠郎女《かさのいらつめ》】(715?〜765?)

・万葉を代表する女性歌人のひとり
・大伴家持《おおとものやかもち》に贈った恋の和歌《うた》29首があり、激しい思いが詠《うた》われている

もしもやで　恋焦がれして　死ぬんなら
うち千回も　死んで仕舞《しも》てる

思うにし（恋の思いで）　死《し》にするものに　あらませば（あったなら）
千度《ちたび》ぞ我れは　死に返らまし（生き死にしてる）

―笠郎女《かさのいらつめ》―　（巻四・六〇三）

気ィ冷《さ》めた　人思うんは　寺の餓鬼《がき》
尻から拝む　みたいなもんや

相思《あい》わぬ　人を思うは　大寺の
餓鬼の後方《しりえ》に　額《ぬか》づく如し
—笠郎女《かさのいらつめ》—（巻四・六〇八）

言うたろか　石麿《いわまろ》さんよ
夏痩《や》せに　ようう効《き》く言うで　鰻食《く》たどや

石麿《いわまろ》に　我れ物申す
夏痩《や》せに　良《よ》しという物ぞ　鰻捕り食《め》せ
―大伴家持《おおとものやかもち》―（巻十六・三八五三）

【和歌《うた》が詠《よ》まれた背景《はいけい》】
・（親切なのか思ったら、これは違うぞ、いじめだぞ）
・真面目《まじめ》を絵に描《か》いたような家持《やかもち》
・相手によってはこんな冗談を言うのか

痩《や》せてても　生きてる方が
まだ良《え》ぇで
鰻捕ろして　溺《おぼ》れんときや

痩《や》す痩《や》すも（いくら痩せていても）　生《い》けらば在《あ》らんを（生きて居ったらまだ良いが）
はたやはた（間違っても）
鰻を捕ると　川に流るな（流されるな）
—大伴家持《おおとものやかもち》—（巻十六・三八五四）

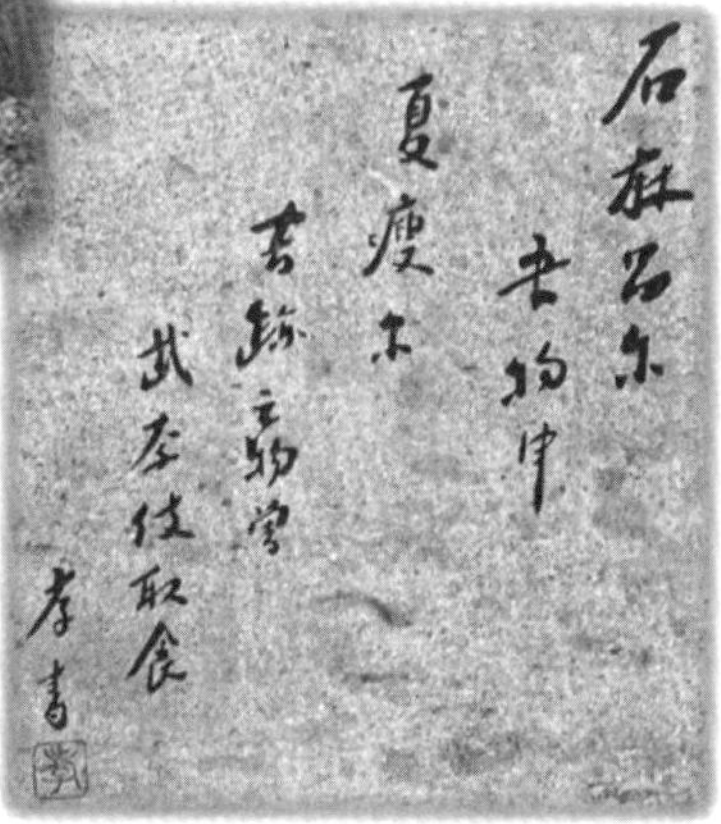

【千曲市・ウナギ屋「辰勢」主人
合津氏邸の歌碑】

春苑《はるその》で　紅《あこ》ぅに映《は》える　桃の花
その下道《したみち》に　立つ娘子児《おとめご》よ

春の苑《その》　紅《くれない》映《にお》う（紅く照り映える）　桃の花
下照《したで》る道に　出《い》で立つ娘子《おとめ》

―大伴家持《おおとものやかもち》―（巻十九・四一三九）

【和歌《うた》が詠《よ》まれた背景《はいけい》①】

・(春のうららの　桃木《き》の下に
　立つのは　妻か花の精?)
・四年目を迎えた越中《えっちゅう》の春
・家持《やかもち》の心は躍《おど》っていた
・前の年に、
　妻・坂上大嬢《おおいらつめ》を迎えたせいもある
・時は春、日はうらら
・家持《やかもち》の胸に、生まれる和歌《うた》ごころ
・これは3月1日の和歌《うた》

【千曲市上山田温泉(住吉公園)にある歌碑】

娘子《おとめ》らが　多数《よけ》集まって　水を汲む
湧水《わきみず》場所に　咲く堅香子《かたかご》よ

物部《もののふ》の※（集い来て）　八十娘子《やそおとめ》らが（大勢の乙女）　汲《く》み乱《まが》う（汲み騒ぐ）
寺井《てらい》の上の（寺の湧き水）　堅香子《かたかご》の花（かたくり）

―大伴家持《おおとものやかもち》―（巻十九・四一四三）

【かたかご（カタクリ）の花】

【和歌《うた》が詠《よ》まれた背景《はいけい》②】

・これは３月２日の和歌《うた》
・大勢の娘子《おとめ》
・咲き群れる堅香子《かたかご》の花
・どちらも若々しくて可憐

【高岡市伏木古国府（勝興寺北西裏）の寺井と歌碑】

春の野に　霞靡《なび》いて
鶯の　声沁《し》む宵《よい》や　沈む心に

春の野に　霞棚引き　心《うら》悲し
この夕影に　鴬鳴くも（鳴くよ）
―大伴家持《おおとものやかもち》―（巻十九・四二九〇）

【和歌《うた》が詠《よ》まれた背景《はいけい》】

・（これは、これは、思いもよらぬ）
・五年ぶりにやっと戻った都《みやこ》
・そこは、以前の都《みやこ》とは違っていた
・聖武《しょうむ》天皇が位を譲られて数年が経《た》つ
・この世の政治は、藤原仲麻呂《ふじわらのなかまろ》が握っている
・（橘諸兄《たちばなのもろえ》さまが頑張っておられるが、今少し力がない）
・（諸兄《もろえ》さまの子奈良麻呂《ならまろ》どのが、仲麻呂《なかまろ》打倒の不穏な動きをしておる）
・（我れはどうすべきか・・・）
・春だというのに、家持《やかもち》の胸は塞《ふさ》がり続ける
・生まれた三つの和歌《うた》に、家持の苦悩が隠れている

庭の小藪《やぶ》
風　音《おと》も無《の》ぅ　吹き抜ける
この夕暮れの　寂《さみ》しさ何や

我がやどの
い笹群竹《ささむらたけ》（小さな群れている竹）　吹く風の
音の幽《かそ》けき（かすかな）　この夕《ゆうべ》かも
―大伴家持《おおとものやかもち》―　（巻十九・四二九一）

日ぃうらら
雲雀《ひばり》囀《さえず》る　春やのに
心弾《はず》まん　思いも尽きん

うらうらに（うららかに）
照れる春日《はるひ》に　雲雀《ひばり》上がり
心悲《かな》しも　独《ひと》りし思えば
―大伴家持《おおとものやかもち》―　（巻十九・四二九二）

【阿南市那賀川中島（米沢邸）にある歌碑】

新年《しんねん》と　立春《はつはる》重なり　雪までも
こんな好《え》えこと　ますます積もれ

新《あら》しき　年の始めの　初春の（立春）
今日降る雪の　いや重《し》け吉事《よごと》（増々積もれ　良いことが）
—大伴家持《おおとものやかもち》—（巻二十・四五一六）

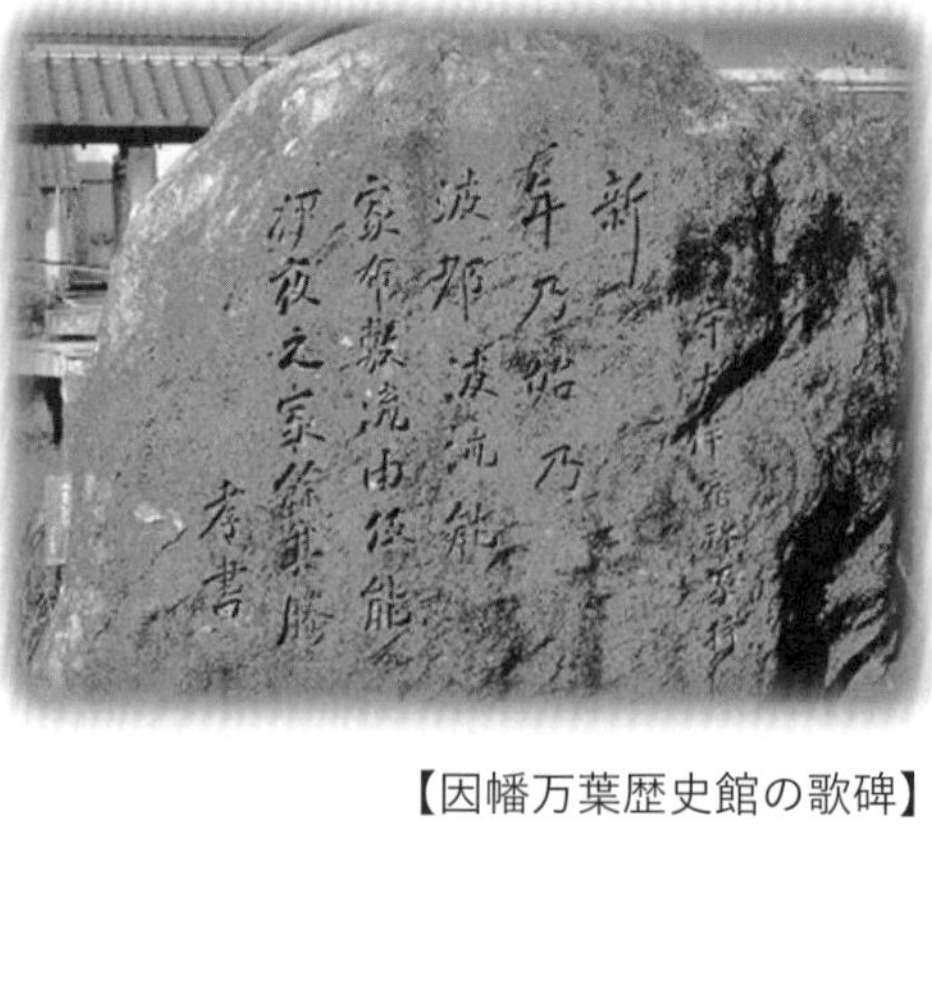

【因幡万葉歴史館の歌碑】

【和歌《うた》が詠《よ》まれた背景《はいけい》】

・（目出度い正月だというのに・・・）
・藤原仲麻呂《ふじわらのなかまろ》の「思い通り」はますますひどくなる一方
・聖武《しょうむ》天皇も今は亡く、役を失《な》くされた諸兄《もろえ》もこの世にいない
・ついに奈良麻呂《ならまろ》が立ち上がるが失敗
・大伴一族の多くが、共に罰せられた
・家持《やかもち》は罪こそ問われなかったが、因幡《いなば》（鳥取県東部）の守《かみ》として左遷《させん》
・夢も誇りも失《な》くした家持《やかもち》
・迎えた正月に「せめて今年は」と詠《うた》う
・この後、家持《やかもち》の和歌《わか》は残されていない
・詠《うた》わぬ人なった家持《やかもち》のその後は・・・

【雪の因幡国庁址】

『大阪弁こども万葉集』に寄せて

上野　誠

生きるということは、言葉を発するということ。
言葉を発するということは、生きているということ。
言葉は、その言葉が発せられた時代の文化を表す。
だから、だから、『万葉集』は、言葉で作られた文化財だと思う。
文化財は、文化の宝物。
私たちは、一三〇〇年前に生きた人びとの言葉を知ることができる。
だから、『万葉集』は、言葉の文化財なのだ。

そして、言葉は、言葉を発した人の地域の文化を表す。

大阪で暮らしている人には、大阪の言葉がある。だから、その地域の言葉を大切にする人は、その地域を大切にする人だ。

この本の著者の中村博先生は、言葉の文化財『万葉集』を大切にする人である。

この本の著者の中村博先生は、大阪という地域を大切にする人である。

私は、この本を通じて、古代の人の声と、大阪の言葉の深みを知ってほしいと、ひそかに考えている。


（うえの・まこと／奈良大学教授）

あとがき

最後までお読みいただき、ありがとうございます。

ところで、あなたは、こどもでしょうか。

こどもさんなら、結構です。

でも、あなたが大人なら、それはそれで、もっと結構です。

実は、そういう大人のためにもこの本を書きました。

「大人はアカン!」に引かれて、(なんだこれは? ひょっとしたら面白いかも)と興味を持ってもらうためのタイトルだったのです。

(万葉集に興味はある。しかし、難しいのは嫌だ)と思うあなたに、読んで欲しかったのです。

(古典なんか嫌いだ、万葉集なんて、尚更《なおさら》)と思っていたあなたにも、手に取ってもらいたかったのです。

作戦は、成功しました。

どうです、読んでみて良かったでしょう。

犬養孝先生も、「子供には少し無理かな」とおっしゃっていました。

でも、大丈夫ですよね。

お子さんにも是非勧めてください。

せっかく元号も、令和になったのですから。

令和二年　仲春・春分を前にして

中村　博

中村　博　「古典」関連略歴

昭和17年10月19日　堺市に生まれる
昭和41年 3月　　　大阪大学経済学部卒業

・高校時代　:　堺市成人学校にて犬養孝先生の講義受講
・大学時代　:　大阪大学　教養・専門課程(文学部へ出向)で受講
・夏期休暇　:　円珠庵で夏期講座受講
・大学&卒後　:　万葉旅行多数参加

・H19.07.04 : ブログ「犬養万葉今昔」掲載開始至現在
「万葉今昔」「古典オリンピック」で検索
・H19.08.25 : 犬養孝箸「万葉の旅」掲載故地309ヵ所完全踏破
・H19.11.03 :「犬養万葉今昔写真集」犬養万葉記念館へ寄贈
・H19.11.14 : 踏破記事「日本経済新聞」掲載
・H20.08.08 : 揮毫歌碑136基全探訪(以降新規建立随時訪れ)
・H20.09.16 : NHKラジオ第一「おしゃべりクイズ」出演
《内容》「犬養万葉今昔」
・H24.05.31 :「万葉歌みじかものがたり」全十巻刊行開始
・H24.07.22 :「万葉歌みじかものがたり」「朝日新聞」掲載
・H25.02.01 :「叙事詩的　古事記ものがたり」刊行
・H26.05.20 :「万葉歌みじかものがたり」全十巻刊行完了
・H26.12.20 :「七五調　源氏物語」全十五巻刊行開始
・H27.01.25 :「たすきつなぎ　ものがたり百人一首」刊行
・H30.11.20 :「七五調　源氏物語」全十五巻刊行完了
・H31.04.20 :「編み替え　ものがたり枕草子」刊行開始
・R01.06.10 :「令和天翔け万葉歌みじかものがたり」刊行
・R01.11.01 :「編み替え　ものがたり枕草子」（上・中・下）刊行完了

犬養孝先生揮毫「まほろば」歌碑（春日大社）

《国随一《ずいいち》の　大和国《やまとくに》
重なる山の　青垣が
囲む大和は　雲はるか
愛《いと》しの大和　愛《いと》しや大和》

倭《やまと》は
国のまほろば
畳《たた》づく
青垣
山隠《やまごも》れる
倭《やまと》し愛《うるわ》し
――倭建命《やまとたけるのみこと》――
（「古事記」歌謡三十一）

㊕大人はアカン！
大阪弁こども万葉集

発行日
初　版　2020年5月15日
第二刷　2020年8月20日

著　者
中村　博

制　作
まほろば 出版部

発行者
久保岡宣子

発行所
JDC出版
〒552-0001　大阪市港区波除6-5-18
TEL.06-6581-2811(代)　FAX.06-6581-2670
E-mail : book@sekitansouko.com
郵便振替　00940-8-28280

印刷製本
前田印刷（株）

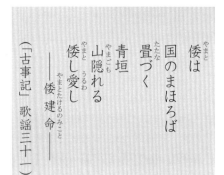